YR HAF GORAU ERIOED

Gwenno Hughes

Gomer

Cyhoeddwyd gyntaf yn 2015 gan
Wasg Gomer, Llandysul, Ceredigion, SA44 4JL
www.gomer.co.uk

ISBN 978 1 84851 993 0

Cyhoeddwyd gyda chymorth ariannol Cyngor Llyfrau Cymru.

Argraffwyd a rhwymwyd yng Nghymru gan
Wasg Gomer, Llandysul, Ceredigion.

1

'Iiii-haaa!' sgrechiodd Lefi Daniels wrth iddo sgrialu ar hyd ffordd fach ddeiliog Cil Caron ar ei BMX a chwalu'r graean i bob cyfeiriad wrth gyrraedd y tro pedol. Roedd ei fochau'n fflamgoch gan ei fod yn reidio mor galed, ond doedd dim taten o ots ganddo. Heddiw oedd diwrnod cyntaf gwyliau'r haf ac roedd Lefi ar ben ei ddigon. Roedd chwe wythnos o wyliau'n ymestyn o'i flaen a doedd dim rhaid iddo feddwl am wneud syms, sgrifennu nac unrhyw waith cartref. A dweud y gwir, doedd dim rhaid iddo feddwl am ddim heblaw sut roedd e'n mynd i gael hwyl. Hwyl, hwyl a mwy o hwyl! Roedd hynny'n siwtio Lefi i'r dim ond wrth iddo wthio'i sbectol haul yn ôl ar ei drwyn a thynnu'i law drwy'r cwmwl o wallt du cyrliog oedd fel microffon am ei ben, clywodd lais y tu ôl iddo.

'Maaas o'r ffordd!' Meg, ei chwaer fach, oedd yno'n canu cloch ei beic mynydd gan fygwth ei basio. Doedd Lefi ddim yn gallu credu'r peth!

Roedd e wedi gadael y tŷ o leiaf ddwy funud o'i blaen ond roedd Meg wedi dal i fyny ag e, ei llygaid gwyrdd yn dawnsio wrth iddi wibio heibio iddo a'i gwallt du, hir yn chwipio o gwmpas ei dannedd.

'Dere 'mlaen, malwoden!' heriodd Meg.

'Pwy ti'n ei alw'n falwoden?'

'Ti!' chwarddodd Meg wrth iddi droi oddi ar y ffordd fach a dilyn y ffordd drol oedd yn nadreddu tuag at dyddyn Gelli Aur. Mewn eiliad, roedd Lefi wrth ei chwt, a dechreuodd y ddau rasio tua'r tyddyn anghysbell ym mhen draw'r ffordd. Doedd neb wedi byw yn y tyddyn cerrig ers blynyddoedd ac roedd e'n troi'n adfail erbyn hyn. Roedd paent glas y drws ffrynt yn plicio, fframiau'r ffenestri'n pydru a'r bondo'n disgyn yn ddarnau. Ond doedd dim ots gan Meg a Lefi fod y tyddyn mor llwm achos dyma ble roedd *den* eu criw nhw. Sgrialodd y ddau i stop y tu allan i'r drws ffrynt a gweld bod trydydd aelod y criw wedi parcio beic cwad coch sgleiniog y tu fas.

'Hei, Sbaner!' gwaeddodd Lefi ac mewn eiliad agorodd bachgen boliog mewn het *beanie* oren y drws ffrynt gyda gwên fel y wawr.

'Ydy dy frawd yn gwybod bod ti wedi menthyg hwn?' gofynnodd Meg gan bwyntio at y beic cwad.

'Callia!' chwarddodd Sbaner.

'Aiff e'n bananas pan ffendith e mas.'

'Mae Ifan yn gweithio'n Llanbed trwy'r dydd a bydd y cwad 'nôl yn y sied cyn iddo fe ddod adre,' atebodd Sbaner.

'Gobeithio,' meddai Lefi, 'neu fe laddith e ti!'

'Ti'n becso gormod, Lefi bach! A ta beth, roedd rhaid i fi fenthyg y cwad achos bod gen i gymaint o bethe i'w cario. Gawsoch chi'r tecst yn dweud bod 'da fi syrpreis i chi?'

'Beth yw e?' gofynnodd Meg.

'Dilynwch fi. Mas y bac – glou!'

Trodd Sbaner ar ei sawdl a llithrodd Lefi a Meg ar ei ôl i mewn i'r tyddyn, ac er ei bod hi'n ddiwrnod twym, ffein y tu fas, roedd y tyddyn yn oer a thywyll. Roedd arogl llaith yn y coridor oedd yn arwain o ddrws y ffrynt i ddrws y bac ac roedd pedair stafell bob ochr iddo. Lolfa a stafell wely ar y chwith. Stafell molchi a chegin ar y dde. Drwy ffenest racs y gegin y daeth Lefi, Meg a Sbaner i mewn i'r tŷ am y tro cyntaf erioed. Dod o hyd i'r lle ar ddamwain wnaethon nhw wedi iddyn nhw gael llond pen gan fam Lefi a Meg am gael brwydr bomiau dŵr yn lolfa eu cartref yng Nghil Caron.

Stribed o bum tŷ teras ar bwys Tregaron oedd

Cil Caron ac roedd Mrs Daniels wastad yn cwyno eu bod yn chwarae gêm Angry Birds yn rhy uchel neu bod yr Ods a Gwibdaith yn rhoi pen tost iddi wrth iddyn nhw chwarae'u caneuon ar eu iPods. Roedd Sbaner yn byw drws nesaf i Lefi a Meg a'r un oedd cwyn ei fam yntau. Yn sgil y ffws am frwydr y bomiau dŵr, penderfynodd y tri phlentyn fod yn rhaid iddyn nhw ddod o hyd i rywle gwell i chwarae. Roedden nhw wedi gwirioni pan ddaethon nhw o hyd i Gelli Aur ar ôl mynd am sbin ar eu beics.

Er bod y tyddyn yn dwll o le, gallen nhw wneud fel y mynnen nhw yno. Hen, hen ddodrefn oedd yn y lolfa ond roedd bwrdd yn y gegin, stôl odro, bin a soffa a fu'n lliw oren flynyddoedd maith yn ôl. Taflodd Meg hen garthen Gymreig dros honno er mwyn gwneud iddi edrych yn well, a rhoddodd Lefi fwrdd dartiau ar y wal wrth bosteri ceir Sbaner. Roedd hwnnw'n dwlu ar geir a thincran gydag injans ac roedd e'n cadw sbaner ym mhoced gefn ei drywsus bob amser – dyna sut cafodd e 'i lysenw. Llwyddodd i drwsio hen radio ddarganfyddodd y criw mewn sgip yng Nghil Caron ac roedd un o ganeuon Candelas yn chwarae drwy'r tŷ wrth i Lefi a Meg ddilyn Sbaner drwy ddrws y bac. Yna gwelodd y ddau beth oedd y syrpréis.

'Da-ra!' cyhoeddodd Sbaner gan bwyntio at chwe sosej yn mygu'n braf ar farbeciw yn yr ardd. 'Brecwast!'

'Ble gest ti'r barbeciw?' gofynnodd Meg yn syn.

'Yn y sgip!' meddai yntau gan osod tri phlat, ffyrc a photel o sos coch o'u blaenau – doedd Meg ddim yn gallu bwyta dim heb sos coch.

'Sbaner, ti'n seren!' meddai Meg.

'Ac yn well cogydd na Bryn Williams!'

'Jiw, sdim byd fel canmol dy hunan!' meddai Lefi wrth i Sbaner blannu fforc mewn sosej.

'Maen nhw'n barod!' bloeddiodd gan rannu'r sosejis ar y platiau. 'A dwi'n moyn trafod beth ni'n mynd i'w wneud dros y gwyliau!'

Cytunodd y ddau arall gan gladdu'r sosejis. Doedd yr un ohonyn nhw'n cael mynd bant yn ystod yr haf ar eu gwyliau. Collodd tad Lefi a Meg ei waith dri mis yn ôl a doedd swydd eu mam yn y Parlwr Pizza ddim yn ddigon i dalu am wyliau tramor. Roedd arian yn dynn yn nhŷ Sbaner hefyd. Bu farw'i dad flynyddoedd yn ôl a dim ond prin gadw'r blaidd o'r drws wnâi ei fam drwy roi gwersi sacsoffon. Ond doedd dim ots gan yr un o'r tri nad oedden nhw'n cael mynd dramor. Roedden nhw'n fwrlwm o syniadau ac yn edrych ymlaen at dreulio'r haf yng Ngelli Aur – ac yn benderfynol mai hwn fyddai'r haf gorau erioed.

'Beth am ddod â phabell Dad 'ma a'i chodi hi yn yr ardd?' cynigiodd Lefi. 'Falle cawn ni aros 'ma dros nos?'

'Falle,' meddai Meg. 'A nawr bod barbeciw 'ma hefyd, fydd dim rhaid i ni fynd gatre i nôl bwyd! Gaiff Sbaner goginio bob pryd i ni!'

'Beth? Drwy'r haf? Dim diolch!' gwichiodd Sbaner.

'Ro'n i'n meddwl bod ti'n well cogydd na Bryn Williams!' Tynnodd Lefi ei goes. Roedd Sbaner yn difaru iddo agor ei geg ond cydiodd y syniad yn nychymyg Lefi. 'Allwn ni ddala pysgod yn yr afon a gei di 'u coginio nhw!'

'Ond sdim gwialen bysgota 'da ni . . .' wfftiodd Meg.

'All Sbaner bysgota dwylo!' Ei dad-cu ddysgodd Sbaner sut i wneud hynny ac roedd Sbaner wastad yn adrodd storïau am y pysgod morfilaidd eu maint roedd e wedi'u dal. Celwydd noeth oedd yr hanesion hyn ond wnaeth hynny ddim rhwystro Lefi a Meg rhag ei herio a thynnu'i goes.

'Iawn! Dim problem! Ddalia i'r pysgodyn mwyaf welsoch chi erioed!' mynnodd Sbaner.

'Grêt,' meddai Meg. 'Ond sdim rhaid i ni fynd i bysgota'n syth. Fyddwn ni ddim isie cinio am sbel, felly beth am fynd i'r afon i nofio'n gynta?'

'Os nofiwn ni ar ôl bwyta, suddwn ni!' meddai Lefi.

'Hm, pwynt teg.' Cymylodd wyneb Meg. 'Beth wnawn ni 'te?'

'Dwi'n gwybod!' meddai Lefi gan dynnu tri phecyn o falŵns lliwgar o boced ei drywsus a'u chwifio yn yr awyr. 'Beth am ffeit bomiau dŵr?'

'Cŵl!' llefodd y ddau arall, wrth i Lefi daflu pecyn o falŵns yr un atyn nhw.

Rhuthrodd y tri i lenwi'r balŵns â dŵr o'r tap tu fas a chyn pen dim roedd gan y criw naw bom dŵr yr un. Gan fod Lefi'n un ar ddeg oed – ac yn flwyddyn yn hŷn na'r ddau arall – fe oedd wastad yn cael dewis eu gêmau. 'Reit 'te bois!' gwaeddodd. 'Ar ôl tri!'

'Tri!' llefodd Meg a Sbaner cyn carlamu o gwmpas yr ardd yn hyrddio'r bomiau at ei gilydd gan weiddi chwerthin a cheisio osgoi cael eu taro drwy guddio y tu ôl i goed a pherthi rhododendrons. Ond roedd hynny'n amhosibl wrth i'r balŵns coch a melyn wibio drwy'r awyr cyn ffrwydro'n gawodydd o ddŵr a rwber rhacs. Cyn hir, roedd y tri'n wlyb diferol.

'Amser hoe nawr, bois!' gwaeddodd Meg.

'Ti ddim yn cael hoe mewn ffeit!' llefodd Lefi gan hyrddio bom arall ati. Trawodd y bom hi ar ei gwar ac wrth i'r dŵr oer ffrydio i lawr ei chefn, chwarddodd Meg.

'Wnei di ddifaru gwneud hynna!' bloeddiodd gan hyrddio bom yn ôl at Lefi. Ond yn hytrach na'i fwrw, hedfanodd y bom dros ei ben a glanio'n glatsh yn wyneb y cawr o ddyn ddaeth rownd cornel y tyddyn.

Stopiodd y cawr yn stond.

Syllodd y plant arno. Welson nhw erioed neb yng Ngelli Aur o'r blaen ond nawr roedd cawr chwe troedfedd gyda chroen gwael a hwdi du, gwlyb yn rhythu arnyn nhw.

'Y . . . ym . . . sori . . .' mwmialodd Meg.

'Fyddwch chi'n sori os na heglwch chi o 'ma!' cyfarthodd y ddynes flin a gamodd o gysgod y cawr. Roedd ganddi wallt piws potel wedi'i glymu mewn cynffon dynn ar ei phen a llawer gormod o golur. 'O 'ma, rŵan!' ychwanegodd mewn acen ogleddol, drwy gwmwl o fwg sigarét.

'Allwch chi mo'n hanfon ni o 'ma,' meddai Lefi. 'Mae'n *den* ni fan hyn!'

'Tyff! Ry'n ni'n symud i Gelli Aur! A ry'ch chi'n tresbasu!' chwyrnodd y ddynes, ei llygaid llwyd yn fflachio'n beryglus. 'Wedyn ewch o 'ma cyn i mi ffonio'r heddlu!'

2

Roedd Lefi, Meg a Sbaner wedi'u ypsetio'n lân. Roedd y tri wedi rhedeg ar wib o Gelli Aur yn dilyn bygythiad y daeargi o ddynes. Yn sydyn, roedd yr haf gorau erioed wedi troi'n haf gwaethaf erioed. Doedden nhw ddim yn gallu credu eu bod wedi colli eu *den* – a hynny ar ddiwrnod cynta'r gwyliau!

'Trychineb! Dyna beth yw hyn,' cwynodd Meg dros wydriad o sudd afal yn y gegin y bore canlynol.

'Trychineb gyda T fawr,' cytunodd Sbaner. 'A pham mae'r ddau 'na'n moyn symud mewn i Gelli Aur pan mae digon o dai eraill yn yr ardal? Tai gwell! Pam dewis ein *den* ni?'

'Dim syniad,' meddai Lefi. 'Mae'n rhaid eu bod nhw'n mynd i'w atgyweirio fe neu rywbeth – ond bydd rhaid iddyn nhw wario ffortiwn ar yr hen le.'

'Beth y'n ni'n mynd i'w wneud, bois,' ochneidiodd Meg gan chwarae â'r *loom band* oedd am ei garddwn yn bryderus, 'heb unman i fynd nac unman i chwarae?'

Roedd hi'n ddiwedd y byd. Ddywedodd yr un o'r tri ddim gair am dipyn – dim ond syllu i waelod eu gwydrau. Yna hwyliodd Val Daniels, mam Lefi a Meg, i mewn o'r ardd gan ollwng basged ddillad yn glec ar y bwrdd. Gwraig gringoch oedd yn blastr o frychni haul oedd Val Daniels ac roedd hi'n casáu nonsens. 'Beth yw'r wynebau hir 'ma?' taranodd. 'Mae'n ddiwrnod ffein! Dylech chi'ch tri fod mas yn joio, ddim yn eistedd fan hyn yn pwdu!'

'Sdim lle gyda ni i fynd nawr, oes e?' cwynodd Meg.

'Chi ddim yn dala i gonan am eich bod chi wedi cael eich hala o Gelli Aur? Doedd dim hawl 'da chi i fod 'na'n y lle cynta.'

'Ond sneb wedi byw 'na ers blynydde!' protestiodd Lefi.

'Wel, mae rhywun yn byw 'na nawr, felly stopiwch y dwli 'ma a mynd o dan 'y nhraed i!'

'I ble ry'n ni fod i fynd, Mam? A beth ry'n ni fod i'w neud? Mae'r haf wedi'i sbwylo!' meddai Meg.

'Dwli! Mae digon o bethe allwch chi'i neud! Ewch mas am wac,' cynigiodd Val Daniels.

'*Boring*,' mwmialodd y tri phlentyn.

'Gêm o rygbi?'

'*Bo-ring*!'

'Sglefrfyrddio?'

'No wei!'

'Wel, os y'ch chi'n pallu chware gêm, helpwch fi i blygu'r dillad 'ma!' meddai hithau gan daflu crys-T yr un at Lefi, Meg a Sbaner.

'Maaam!' protestiodd Lefi. 'Ni ar ein gwyliau! D'yn ni ddim yn moyn gwneud gwaith tŷ!'

'Rhaid i rywun ei neud e!' brathodd Val Daniels. Ond meddalodd pan welodd hi wynebau diflas y tri phlentyn a chipio'r crysau-T yn eu holau. 'Wel, os y'ch chi'n pallu'n helpu i, pam nad ewch chi i'r ganolfan gymunedol i helpu'ch tad gyda'r arddangosfa?'

Byth ers iddo golli'i waith yn siop lyfrau Largos, roedd tad Lefi a Meg yn ceisio'i orau i gadw'n brysur. Dyna pam y gwirfoddolodd i drefnu arddangosfa hanes lleol yng nghanolfan gymunedol y pentref. Roedd e'n gobeithio y byddai'r arddangosfa'n denu twristiaid i'r ardal, ond er ei fod ar dân dros y syniad, doedd gan Lefi na Meg fawr o ddiddordeb.

'Fyddai'n well 'da fi roi 'mhen mewn bwced.' dywedodd Lefi'n bwdlyd.

'Oi, paid â bod mor ewn! Mae dy dad yn joio ac mae 'na lu o bobl ddifyr wedi byw yn ardal Tregaron.'

'Fel pwy, Mam?'

'Wel, fuodd y Rhufeiniaid 'ma. Dyw Sarn Helen ddim yn bell, ydy e?'

'Sarn Helen?' holodd Sbaner, yn ddryslyd.

'Dyna enw'r hen ffordd Rufeinig sy'n rhedeg o'r gogledd i Gaerfyrddin,' eglurodd Val Daniels.

'O,' meddai Sbaner, heb fawr o ddiddordeb.

'Fuodd Twm Sion Cati'n byw 'ma hefyd,' ychwanegodd hithau eto gan geisio tanio dychymyg y tri. 'Ac mae sôn bod eliffant o oes Fictoria wedi'i gladdu y tu ôl i dafarn y Talbot hefyd.'

'Sdim diddordeb 'da fi mewn hen eliffant!' meddai Lefi'n bigog.

'Na fi!' ychwanegodd Meg. 'Ac mae hanes mor *boring*!'

'Reit, 'na fe – digon o gwyno!' gwylltiodd Val Daniels, cydio mewn brwsh a dechrau gwthio'r plant tua'r drws cefn dan sgubo. 'Mas! Mas! Mas!'

Chafodd y tri ddim mwy o groeso yn nhŷ Sbaner chwaith a chyn hir, roedden nhw wedi diflasu ar gicio'u sodlau yng Nghil Caron. Doedd gyda nhw unman i fynd, na dim i'w wneud. A bai'r dieithriaid a symudodd i mewn i Gelli Aur oedd y cyfan. Roedd y tri'n teimlo'n hynod o grac, ond ar yr un pryd allen nhw ddim peidio â meddwl tybed sut roedd y dieithriaid yn dod yn eu blaenau yng Ngelli Aur? Oedden nhw'n setlo? Oedden nhw wedi dechrau cael trefn ar y tŷ? Felly, pan gynigiodd Lefi eu bod yn mynd draw yno i fusnesu, cytunodd pawb. Wedi'r cwbl, doedd gyda nhw ddim byd gwell i'w wneud.

Penderfynodd y tri beidio â chymryd y ffordd drol oedd yn arwain i lawr at y tyddyn, rhag ofn iddyn nhw ddod wyneb yn wyneb â'r dieithriaid a chael eu cyhuddo o dresbasu unwaith eto. Yn hytrach, dilynodd y tri y llwybr defaid oedd yn arwain at y bryncyn uwch y tyddyn a busnesu o hirbell.

Pan gyrhaeddon nhw'r bryncyn, roedden nhw'n disgwyl gweld y ddynes walltbiws a'r cawr wrthi'n brysur yn glanhau'r tyddyn. Er ei fod yn lle gwych i gael *den*, doedd e ddim yn ffit i fyw ynddo ac roedd dyddiau, os nad wythnosau o waith sgwrio o'u blaenau. Roedd y criw yn disgwyl gweld mynydd o fagiau sbwriel ar y clos, ond doedd dim un yno. Doedd y ddau ddieithryn ddim y tu allan i'r tyddyn chwaith. Yn hytrach, synodd y plant o'u gweld yn cloddio twll ym mhen pella'r ardd. Roedd y twmpath pridd wrth eu hymyl yn mynd yn fwy ac yn fwy ac nid dyma'r unig dwmpath yn yr ardd. Roedd dau dwmpath arall yno, wrth ochr dau dwll mawr. Cuchiodd Lefi. 'Beth maen nhw'n ei wneud?'

'Dim syniad,' atebodd Meg. 'Ond tasen i newydd symud i mewn i'r tyddyn, gwneud tyllau yn yr ardd fyddai'r peth ola fydden i'n ei wneud. Bydden i ishe cael trefn ar y tŷ yn gyntaf.'

Ond doedd hi ddim yn edrych fel petai gan y dieithriaid unrhyw ddiddordeb yn y tŷ. Yn hytrach, roedden nhw'n tyllu a thyllu nes eu bod nhw'n chwys domen. Roedd yr holl beth yn rhyfedd. Yn ddirgelwch . . .

3

Bu Lefi, Meg a Sbaner yn pendroni dros y dirgelwch wrth iddyn nhw rasio i'r pentref ar eu beics.

'Falle taw claddu rhywbeth oedden nhw?' cynigiodd Sbaner wrth bedlo i ddal i fyny â'r ddau arall.

'Fel beth?' gwaeddodd Meg.

'Dim syniad. Asgwrn, falle? Dyna mae Jero'n ei wneud pan mae e'n cloddio yn yr ardd!'

'Ci yw Jero, yr ionc!' chwarddodd Lefi.

'Dim ond dweud o'n i . . .'

'Wel dwed rywbeth call, Sbaner!' brathodd Myfi. 'A falle mai ishe claddu corff maen nhw. Weles i ffilm unwaith am ddau foi yn claddu corff yn yr ardd . . .'

'Fydden nhw ddim yn dod yr holl ffordd i Gelli Aur i gladdu corff!' mynnodd Sbaner. 'Dweud ti rywbeth call, Meg!'

Bu tawelwch am dipyn, wrth i'r tri reidio'n dawel. Yna cafodd Lefi syniad. 'Falle mai chwilio am rywbeth maen nhw?'

'Fel beth?' gofynnodd Meg.

'Ym . . . mwydod, falle?'

'Fydden nhw ddim yn gwneud tri thwll er mwyn hynny, y twpsyn!' meddai Meg.

'Falle mai mynd i blannu rhywbeth maen nhw 'te?' cynigiodd Lefi'n amddiffynnol.

'Mae'r tylle'n rhy fawr i blannu coed na llwyni,' mentrodd Sbaner.

'Wel, maen nhw'n gwneud rhywbeth 'na!'

'Yn amlwg, Lefi! Ond beth?' gwaeddodd Meg ac wrth i'r tri sgrialu rownd cornel y ganolfan gymunedol, lledodd eu llygaid. Dyna lle roedd y ddynes walltbiws a'r cawr yn ysgwyd llaw Denzil Daniels yn nrws y ganolfan.

'Beth maen nhw'n ei wneud yn siarad â Dad?' gofynnodd Meg gan wasgu brêcs ei beic yn galed.

'Dim syniad!' atebodd Lefi wrth iddo fe a Sbaner sgidio a dod i stop bob ochr iddi. 'Ond ry'n ni'n mynd i ffendio mas. Dewch!'

Wrth i'r dieithriaid neidio i hen gar Saab du a gyrru i ffwrdd, reidiodd y tri plentyn yn gyflym tua'r ganolfan.

'Hei, Dad!' Trodd Denzil Daniels ei ben pan glywodd Lefi'n gweiddi a gwelodd y plant ei fod yn gwegian dan bwysau'r arfwisg Rufeinig roedd e'n ei chario i mewn i'r ganolfan. Roedd mwy o gyhyrau ar weiren gaws, meddyliodd Sbaner wrtho'i hun.

'Haia, gang!' meddai Denzil yn llon. 'Amseru perffaith! Helpwch fi i gario'r arfwisg 'ma i mewn i'r neuadd. Mae hi'n pwyso tunnell.'

'Beth oedd y bobl 'na'n moyn, Dad?' torrodd Meg ar ei draws.

'Keira a Tal?'

'Dyna'i henwau nhw?'

'Ie. Nhw anfonodd chi o Gelli Aur, yntefe?'

'Sut wyt ti'n gwybod hynny?' gofynnodd Lefi'n chwilfrydig.

'Ddywedon nhw eu bod nhw newydd symud yno. Ac ro'n nhw'n moyn hanes y lle. Neu'n hytrach, hanes y bachan oedd yn byw yno ddiwedd y saithdegau.'

'Pwy oedd hwnnw 'te, Mr Daniels?' gofynnodd Sbaner yn awchus.

'Dim syniad! Dim ond symud i Gil Caron wyth mlynedd 'nôl wnaethon ni.'

'Pam roedden nhw'n dy holi di 'te, Dad?' gofynnodd Meg.

'Wel, yyym . . . am 'mod i'n gwneud arddangosfa ar hanes lleol, yntefe! Ond dyw hynny ddim yn golygu 'mod i'n gwybod unrhyw beth am y boi oedd yn byw yng Ngelli Aur dri deg pum o flynyddoedd yn ôl. O, helpwch fi i gario'r arfwisg 'ma, wnewch chi?'

Cyn i'r plant gael cyfle i symud, dyma nhw'n clywed ffit-ffatian fflip-fflops Val Daniels ar y palmant y tu ôl iddyn nhw. 'Iw-hw!' gwaeddodd wrth ymddangos â bocs sgwâr o dan ei braich. 'Un pizza Hawaiian!' Rhoddodd y bocs i'w gŵr. 'A bydd rhaid i ti ei rannu 'da'r plant os y'n nhw'n starfo . . .'

'Mae'n iawn, Mrs Daniels,' meddai Sbaner. 'Ma Dad-cu'n gwneud cinio i ni heddi.'

'Beth? I'r tri ohonoch chi?'

Nodiodd Sbaner a gwenodd Denzil Daniels wrth agor y bocs pizza. 'Mwy i fi 'te,' meddai gan lyfu'i wefusau.

'Ti'n gwybod pwy oedd yn byw yng Ngelli Aur ddiwedd y saithdegau, Mam?' holodd Meg wrth i'w thad stwffio darn o bizza i'w geg.

'Na'dw, siŵr!' atebodd Val Daniels. 'Ond yn rhyfedd iawn, ti yw'r ail berson i ofyn hynny i fi heddi.' Aeth ymlaen i egluro bod y pâr oedd wedi symud i Gelli Aur wedi ei holi hithau am y boi oedd yn arfer byw yn y tyddyn, ond doedd hi, mwy na'i gŵr, ddim wedi gallu rhoi unrhyw fanylion iddyn nhw. 'Reit, alla i ddim aros fan hyn yn cloncan drwy'r dydd,' meddai. 'Dwi'n mynd 'nôl i'r Parlwr cyn i mi gael y sac!' Trodd Val Daniels ar ei sawdl ac wrth iddi ffit-ffatian i lawr y stryd, trodd y plant drwynau eu beics am Dafarn Cati, ble roedd tad-cu Sbaner yn byw.

'Sori, Dad! Sdim amser 'da ni i helpu â'r arfwisg neu fyddwn ni'n hwyr i ginio!' meddai Lefi a rhuthrodd y tri phlentyn i ffwrdd gan adael Denzil Daniels yn bytheirio drwy'i bizza.

Sgrechiodd y beics i stop tu fas i Dafarn Cati, adeilad pinc gyda basgedi geraniums coch ar sil bob ffenestr. Bu Tomi Tecila – tad-cu Sbaner – yn cadw Tafarn Cati ers cantoedd ac roedd e'n hoffi gwahodd Sbaner a'i ffrindiau draw am ginio, pan oedd ei ferch yn brysur gyda'i gwersi sacsoffon. Wrth i Lefi, Meg a Sbaner frysio drwy ardd gwrw'r dafarn, camodd Keira a Tal drwy'r drws ffrynt.

'O, dim *chi* eto.' Trodd Keira'i thrwyn pan welodd hi nhw. 'Wedi ffendio *den* newydd bellach?'

Chwarddodd Tal yn sbeitlyd ac wrth i'r ddau ddiflannu drwy'r ardd gwrw, daeth Tomi Tecila i lenwi drws y dafarn. Roedd e'r un ffunud â

Capten Birdseye, gyda'i farf wen a'i gap pig glas tywyll.

'Shw'mae, gang!' meddai gan arwain y plant i gegin gefn y dafarn. 'Barod am y frechdan ham a phicl orau yng Ngheredigion?'

'Plîs,' meddai'r tri ac wrth iddyn nhw eistedd wrth fwrdd y gegin, plannodd Tomi Tecila fynydd o frechdanau o'u blaenau, cyn estyn potel o sos coch i Meg.

'Beth oedd y Keira a'r Tal 'na'n moyn, Dad-cu?'

'Cwrw!' atebodd Tomi Tecila. 'A pham ti'n holi?'

'Achos eu bod nhw'n mynd ambiti'r lle'n chwilo am hanes y bachan oedd yn byw yng Ngelli Aur yn y saithdegau.'

'O, holon nhw fi am hwnnw hefyd.'

'Do fe? Oeddech chi'n 'i nabod e?' holodd Meg drwy gegiad o ham a phicl a sos coch.

'Darren Drygs? O'n, wrth gwrs – ond 'mond i ddweud "helô". Boi od, yn cadw'i hunan iddo'i hunan.'

'Darren Drygs?' gofynnodd Lefi. 'Oedd e'n cymryd cyffuriau 'te?'

'*Gwerthu* cyffuriau,' eglurodd Tomi Tecila. 'A phan o'n i'n ifanc, roedd un o ffatrïoedd cynhyrchu cyffuriau anghyfreithlon mwya'r byd yn ardal Tregaron 'ma.'

Rhythodd y plant yn syn arno.

'Chi ddim yn 'y nghredu i, odych chi?'

'Wel, na!' siaradodd Sbaner dros bawb. 'Ry'n ni'n byw mewn pentre bach yng nghanol unman . . .'

'Mae hi'n haws cuddio yn fan hyn na mewn dinas fawr boblog. Ac roedd 'na griw yn cynhyrchu cyffuriau 'ma ac yn 'u hanfon i bedwar ban byd . . .'

Roedd y plant yn syfrdan.

'Gafodd pob un o'r criw eu dala a'u hanfon i garchar, cofiwch – adeg cyrch enwog Operation Julie.'

'Operation Julie? Chlywes i erioed amdano,' wfftiodd Lefi.

'Jiw, roedd e'n bell cyn eich geni chi i gyd,' eglurodd Tomi Tecila. 'Ond fe fuodd yr heddlu'n gwylio'r criw am fisoedd, cyn eu harestio nhw a chau'r ffatri. Ond dim cyn iddyn nhw wneud gwerth miliynau o gyffuriau yno.'

'Faint?' Tagodd Meg ar ei brechdan mewn syndod.

Nodiodd Tomi Tecila. 'Roedd llygad y byd ar Dregaron am gyfnod. Roedd yr hanes yn yr holl bapurau, ar y teledu a'r radio. Cafodd yr heddlu afael ar y rhan fwyaf o'r cyffuriau – er na ddaethon nhw o hyd i'r holl arian wnaeth y dihirod chwaith. Roedd 'na sôn 'u bod nhw wedi claddu peth o hwnnw mewn cesys yn yr ardal . . .'

'Ble?' gofynnodd y plant gyda'i gilydd.

'Sneb yn gwybod! Ond ry'n ni'n sôn am filoedd ar filoedd o bunnoedd . . .'

'Ddaeth y dihirod i chwilio am yr arian wedi iddyn nhw gael eu rhyddhau o'r carchar?' gofynnodd Sbaner yn llawn chwilfrydedd.

'Do, dwi'n credu. Ond marw yn y carchar wnaeth Darren Drygs. Felly maen nhw'n dweud bod 'i siâr e o'r arian yn dal wedi'i gladdu 'ma'n rhywle,' eglurodd Tomi Tecila, cyn i rywun weiddi o'r bar. 'W, esgusodwch fi, gang! Cwsmeriaid yn galw,' meddai ac wrth iddo frasgamu o'r gegin, roedd y plant wedi'u drysu.

Wedi munud, daeth Lefi o hyd i'w lais. 'Y'ch chi'n meddwl beth dwi'n ei feddwl?'

'Dibynnu beth wyt ti'n ei feddwl,' atebodd Sbaner.

'Dwi'n meddwl bod Keira a Tal yn chwilio am arian Darren Drygs.'

'A fi!' cytunodd Meg. 'Oeddet ti'n meddwl hynny hefyd, Sbaner?'

'Na, ro'n i'n meddwl bod ishe mwy o bicl ar y frechdan 'ma . . .'

'Cau dy ben, y twpsyn!' dwrdiodd Meg cyn troi at Lefi. 'Anwybydda Sbaner, wir – dwi'n credu'n bod ni wedi taro'r hoelen ar ei phen!'

4

'Tyrd 'laen, cloddia!' cyfarthodd Keira.

'Ond mae 'nghefn i'n boenus,' protestiodd Tal wrth iddo sythu ei gefn uwch y pumed twll roedd e wedi'i gloddio yng ngardd gefn Gelli Aur.

'Y wimp!'

'Mae'n hawdd i ti ddweud hynna!' cwynodd Tal gan bwyso ar ei raw. 'Cwbl ti'n ei wneud ydy sefyll yn fan'na'n rhoi ordors!'

'Ia. Achos fi ydy'r brêns,' mynnodd Keira. 'A chdi ydi'r mysl. Ac os wyt ti'n mynd i gwyno bob dau funud, wnawn ni byth ffendio pres Darren Drygs.'

Cuchiodd Tal.

'Yli, a' i nôl can o Fanta i chdi – *os* wnei di gario 'mlaen i dyllu.' Ceisiodd Keira seboni wrth iddi fynd am y tŷ. 'A fetia i y byddi di wedi dod o hyd i'r pres erbyn i mi ddod yn ôl.'

Roedd eu synhwyrydd metel wedi blipio'n uchel uwch y fan ble roedd Tal wedi cloddio'r twll, ond er iddo dyllu a thyllu, doedd e ddim wedi darganfod dim byd mwy nag ambell garreg a mwydyn. Ond roedd e'n gwybod pe bai e'n cario 'mlaen i gwyno bod peryg i Keira golli'i limpyn a roedd hi'n ffrwydro fel Vesuvius pan wnâi hi hynny. Roedd Tal wedi dysgu bod bywyd yn haws pan roedd e'n gwneud yn union fel roedd ei gariad yn ei ddweud wrtho, felly torchodd ei lewys ac ailddechrau cloddio. Wedi pum munud, roedd e'n fyr o wynt, ond yna bwrodd ei raw ddarn o fetel. Cyffrôdd drwyddo ac erbyn i Keira ddod 'nôl o'r gegin â'r can Fanta, roedd Tal yn cloddio'n wyllt.

'Ti wedi dod o hyd i'r pres eto?' Rhuthrodd Keira tuag ato.

'Do, dwi'n meddwl 'mod i!' atebodd Tal. Ond daeth siom dros wyneb y ddau wrth i hen dun bîns ddod i'r golwg yng nghanol y pridd. Rhegodd Tal gan daflu ei raw i'r llawr. 'Dwi wedi cael llond bol ar hyn!' cwynodd.

'Megis dechrau ydan ni,' dywedodd Keira, 'felly amynedd pia hi, iawn Tal?'

'Ia, wel, d'yn ni ddim yn gwybod yn *bendant* a wnaeth y Darren Drygs 'ma gladdu'i bres yn y lle 'ma, na'dyn?'

'Pam fasa fo'n dweud hynny wrth Yncl Kirk pan oedden nhw'n rhannu cell yn y carchar 'ta?' heriodd Keira. Roedd hi wedi bod ar dân eisiau dod i Gelli Aur i chwilio am yr arian o'r funud y dywedodd ei hewythr yr hanes wrthi dridiau ynghynt yn y cartref henoed ble roedd e'n byw. Ond roedd Yncl Kirk yn ffwndrus ac yn sâl iawn bellach, a doedd Tal ddim yn siŵr a oedd e'n dweud y gwir. Roedd Keira, ar y llaw arall, yn bendant ei fod e, gan iddo roi cymaint o fanylion iddi. Yn ôl Yncl Kirk, bu Darren Drygs yn brolio y byddai'n ŵr cyfoethog iawn wedi iddo gael ei ryddhau o'r carchar, gan iddo gladdu can mil o bunnoedd mewn cês metel yn un o'i hoff lefydd yn ardal Tregaron. Ei fwriad oedd mynd i nôl y cês ar y diwrnod y câi ei ryddhau o'r carchar, ond cwympodd i lawr y grisiau a marw wythnos union cyn hynny.

'Fyddai pethau'n lot haws petai o jyst wedi dweud wrth dy Yncl *ble* claddodd o'r cês . . .' grwgnachodd Tal.

'Callia! Fyddai Yncl Kirk wedi'i ddwyn o dan ei drwyn o wedyn!' meddai Keira.

'Fyddai o byth wedi dwyn oddi wrth ei fêt, siŵr,' mynnodd Tal.

'Ym, basa! Sinach ydy Yncl Kirk. Does ganddo fo ddim cydwybod. Na dim dychymyg. Dyna pam methodd o ddarganfod y cês pan ddaeth o yma i chwilio amdano fo'i hun.'

'Os methodd *o*, pam ti'n meddwl y llwyddwn *ni*?'

'*Dwi*'n lot clyfrach nag Yncl Kirk, yn dydw! Dim ond hyn a hyn o hoff lefydd sydd gan rywun. Dwi'n gwybod bod Darren Drygs yn gwirioni efo'r ardd 'ma, achos pan oedd o'n y carchar roedd o'n hiraethu am gael tyfu blodau. Ond os methwn ni ddod o hyd i'r pres yn fan'ma, holwn ni fwy o bobl y pentra i ddarganfod ble roedd ei hoff lefydd eraill o yn yr ardal.'

'Ond fedrwn ni fod yn chwilio am byth!'

'Yli, os wyt ti'n mynd i gwyno, dos adra i Gaernarfon! Ond dwi ddim yn rhoi'r gorau iddi achos dwi wedi hen flino ar fod yn sgint! A phan fydda i ar yr awyren honno i Mecsico, paid â meddwl y cei di ddod hefo fi!'

Syllodd Tal ar Keira am funud ac wrth iddo'i dychmygu hi'n sipian coctêl ar draeth euraid, tra byddai e adref yng Nghaernarfon yn y glaw, ailddechreuodd gloddio.

Yn ôl ar y bryncyn uwch Gelli Aur, roedd tri ffigwr tywyll yn gorwedd yn y borfa yn gwylio Keira a Tal. Roedd Lefi'n syllu trwy sbienddrych. 'Hei, mae 'na synhwyrydd metel ar bwys y twll maen nhw'n ei gloddio,' meddai.

Cipiodd Meg y sbienddrych. 'Gad i fi weld!'

'Mae hyn yn profi 'mod i'n iawn 'te,' meddai Lefi. 'Achos byddai rhywun angen synhwyrydd metel i ddarganfod arian wedi'i gladdu.'

'Dyw e'n profi dim!' meddai Sbaner. 'Ac allwn ni ddim bod yn siŵr mai dyna maen nhw'n chwilio amdano.'

'Pam dy fod ti'n 'i chael hi mor anodd credu hynny, Sbaner?' holodd Lefi.

'Sdim tystiolaeth 'da ni.'

'Ond mae 'da fi deimlad yn 'y nŵr!' mynnodd Lefi.

'A dyw dŵr Lefi byth yn rong,' meddai Meg. 'A beth ry'ch chi'n meddwl wnawn nhw â'r arian wedi iddyn nhw'i ffeindio fe?'

'Ei ddwyn e!' meddai Lefi.

'Beth? Ond allan nhw ddim gwneud hynny!' ffieiddiodd Meg. 'Arian cyffuriau yw e! Arian brwnt!'

'Dyw'r pwdrod 'na ddim yn mynd i fecso am hynny!' meddai Lefi. 'A'r eiliad y cawn nhw'i bachau arno fe, fyddan nhw mas o 'ma . . .'

'Allwn ni byth â gadael i hynny ddigwydd,' meddai Meg. 'Fydde fe ddim yn iawn! Fydde'n *rhaid* i ni eu stopio nhw!'

'E . . . beth?' gofynnodd Sbaner yn goeglyd, cyn i'w galon suddo wrth iddo weld gwên gyfarwydd yn lledu dros wyneb Meg. 'O na! *Plîs* paid â dweud dy fod ti wedi cael un o dy frenwêfs,' meddai.

'Do! Pam na chwiliwn *ni* am yr arian?' Llonnodd Meg drwyddi. 'Tasen ni'n dod o hyd iddo cyn Keira a Tal, a mynd ag e at yr heddlu, fydden ni'n arwyr! Pa mor cŵl fydde hynny, bois?'

'Mega-cŵl!' Cydiodd y syniad yn Lefi. 'Fydde'n lluniau ni yn yr holl bapurau! Falle allen ni ymddangos ar y teledu a'r radio hefyd?'

'Dwi wastad wedi ffansïo bod ar y teledu!' meddai Meg. 'A dyma'n cyfle ni!'

'Ond sut allwn *ni* ddod o hyd i'r arian?' Doedd Sbaner ddim wedi'i argyhoeddi.

'Drwy wneud gwaith ditectif – 'run peth â Keira a Tal!' eglurodd Meg.

'Ie! Sdim yn ein rhwystro ni rhag darganfod ble roedd hoff lefydd y bachan Darren Drygs 'ma, oes e?' meddai Lefi. 'Ac os down ni o hyd i'r arian cyn Keira a Tal, allwn ni ddysgu gwers i'r cnafon a thalu'r pwyth am iddyn nhw ddwyn ein *den* ni!'

'Wel, mae 'da ti bwynt . . .' meddai Sbaner gan ddeall awgrym Lefi o'r diwedd. 'Dwi'n credu y dylen ni fynd amdani!'

'Haleliwia!' gwaeddodd Lefi gan ddyrnu'r awyr yn gyffrous. 'Gang Gelli Aur i'r gad!'

5

Roedd drysau cwpwrdd dillad Ifan, brawd mawr Sbaner, yn llydan agored, ac roedd Sbaner wrthi'n brwydro drwy bentwr o beli rygbi, pants a sanau brwnt yn chwilio am synhwyrydd metel Ifan, pan glywodd Megan yn gweiddi o'r gegin. 'Sbaner! Mae Ifan gatre – yn gynnar!'

Rhewodd Sbaner.

Doedd e ddim wedi gofyn i Ifan am fenthyg y synhwyrydd metel a phetai e'n cael ei ddal yn ei stafell, roedd Sbaner yn siŵr y byddai Ifan am ei waed. Mewn chwinciad, roedd Ifan yn rhuthro i fyny'r grisiau, a Sbaner yn sylweddoli na allai ddianc heb gael ei ddal. Edrychodd o'i gwmpas mewn panig. Roedd yn rhaid iddo guddio – glou! Felly llamodd i mewn i'r cwpwrdd dillad a thynnu'r drws ar ei ôl. Trawodd yr arogl pants a sanau brwnt e fel ton ac wrth i Ifan drybowndian i'r stafell a newid o'i ofyrols gwaith, roedd Sbaner ar fin chwydu. Ond roedd arno ofn gwneud hynny, rhag i Ifan ei glywed a'i ffeindio'n cuddio yn y cwpwrdd. Felly llyncodd Sbaner y chwd.

Roedd stafell Sbaner gyferbyn ag un Ifan a meddyliodd yntau fod ei frawd bach yn ei stafell ei hun gan fod y drws ar gau.

'Oi! Shifftia dy stwmps 'nôl i'r gegin!' gwaeddodd Ifan gan dynnu ei ofyrols dros ei ben melyn a gwisgo'i dracwisg er mwyn mynd i loncian. 'Mae Megan a Lefi'n aros amdanat ti!'

Symudodd Sbaner ddim gewyn, er bod arogl y dillad brwnt yn ei fygu. Ond yr eiliad yr aeth Ifan i lawr y staer, gwthiodd ddrws y cwpwrdd led y pen a llyncu llond ysgyfaint o awyr iach. Roedd ei wyneb yn wyrdd, ond o leiaf chafodd e mo'i ddal! Camodd o'r cwpwrdd ac wrth iddo gydio yn handlen y synhwyrydd metel, clywodd Ifan yn clepio'r drws ffrynt a gadael y tŷ. Anelodd Sbaner am y gegin yn simsan a daeth wyneb pryderus Meg a Lefi i'r golwg ar waelod y grisiau.

'Ddyle bo chi wedi rhwystro Ifan rhag dod lan . . .' meddai Sbaner yn gryg.

'Gwibiodd e lan 'na cyn dweud "shw'mae", bron!' protestiodd Meg, cyn gwenu fel giât pan sylweddolodd fod Sbaner wedi gorfod cuddio yng nghanol y pants a'r sanau brwnt.

'Dyw e ddim yn ddoniol! Bron i mi farw!'

'Ti'n gymaint o ddrama cwîn!' piffiodd Lefi. 'Ac o leia gest ti afael ar y synhwyrydd metel!'

'Ac mae hwnnw'n bwysicach na fi, odyfe?'

'Ody!' Chwarddodd Lefi a Meg fel un.

'Lwcus 'mod i'n gwybod mai tynnu coes y'ch chi,' wfftiodd Sbaner. 'A ble ry'n ni'n mynd i ddechre chwilio am yr arian 'ma?'

'Wel, ddim yng ngardd Gelli Aur,' meddai Lefi. 'Bydde Keira a Tal yn ein dal ni'n syth. A dwi'n amau na chwatodd Darren Drygs yr arian 'na ta beth – neu fydden nhw wedi dod o hyd iddo erbyn hyn.'

'Cytuno,' meddai Sbaner a bu distawrwydd am ychydig wrth i'r tri grafu pen. Yna lledodd gwên gyfarwydd dros wyneb Meg wrth iddi gael brenwêf. 'Dwi'n credu y dylen ni slipo draw i weld Mr Gruffydd, Tyddyn Broga,' meddai. 'Fe sy'n byw yn y tŷ agosaf at Gelli Aur, yntefe. Mae e'n naw deg, bron, wedyn dwi'n siŵr y bydd e'n cofio Darren Drygs. Allwn ni holi . . .'

'Hei, syniad da!' meddai Lefi.

'Syniad *gwych*!' cywirodd Meg e. 'Wedyn bant â'r cart!'

O fewn chwarter awr, roedd tri beic yn troi oddi ar y briffordd i mewn i glôs Tyddyn Broga. Edrychai'r clôs fel petai bom wedi'i fwrw. Roedd pentyrrau o hen deiars ym mhobman, yn gymysg â bwndeli o weiren bigog a bagiau sbwriel. Roedd gwynt dom da cryf yno hefyd ac wrth i'r gang gamu'n ofalus drwy'r annibendod, camodd dyn ifanc Indiaidd yr olwg mewn siwt smart allan o ddrws cefn y tŷ, gyda chlipfwrdd a thâp mesur o dan ei fraich.

'Ym, shw'mae,' meddai Lefi. 'Ody Mr Gruffydd gatre?'

'Nag yw, sori,' atebodd y dyn ifanc.

'O, reit. Pryd fydd e 'nôl?' holodd Lefi.

'Fydd e ddim. Gafodd e gwymp cas dair wythnos 'nôl ac mae e 'di symud i gartref yr henoed.'

Suddodd calonnau'r gang.

'Ble mae'r cartref 'ma?' gofynnodd Meg. 'Achos mae'n rhaid i ni siarad ag e – mae'n bwysig!'

'Dim syniad, sori,' meddai'r dyn ifanc. 'Wedi galw i brisio'r tŷ odw i, cyn iddo fe gael ei werthu. Ac os nad oes ots 'da chi, rhaid i mi fynd i fesur y sgubor,' ychwanegodd ac wrth iddo groesi'r clos yn fân ac yn fuan, syllodd y tri phlentyn ar ei gilydd yn siomedig.

'Am frênwef . . .' twt-twtiodd Lefi gan edrych yn gyhuddgar ar Meg.

'Oes 'da ti syniad gwell?' heriodd hithau.

'Oes, a dweud y gwir. Beth am alw i weld yr hen fenyw 'na sy'n byw ym Mhant-yr-hwch? Hwnnw yw'r tŷ nesaf wedyn at Gelli Aur, yntefe? Falle bydd hi'n cofio Darren Drygs.'

'Beth os *na* fydd hi?' gofynnodd Meg yn bwdlyd.

'Croesa dy fysedd,' meddai Lefi, ac o fewn dim, roedden nhw'n camu trwy lanast y clôs tuag at y beics.

Roedd hi'n bedlam yng ngardd Pant-yr-hwch. Roedd dau efaill dyflwydd yn taflu mwd at ei gilydd, a golwg flin iawn ar eu mam. Wrth ei thraed, roedd labrador du a bachgen yn gweiddi am ei sylw o'r tŷ. Doedd Lefi, Meg a Sbaner ddim yn siŵr beth oedd orau i'w wneud, ond doedd gyda nhw fawr o ddewis os oedden nhw eisiau gair gyda'r hen fenyw oedd yn byw yno, felly cliriodd Lefi ei wddf a thorri ar draws y syrcas. 'Ym . . . esgusodwch fi,' meddai. 'Allen ni gael gair gyda'ch mam, plîs?'

Trodd y fam ifanc i edrych arno. 'Mae Mam wedi marw,' meddai.

'O . . . ym . . .' Aeth y gwynt o hwyliau Lefi.

'Mam-gu sy'n byw 'ma,' atebodd y fam, 'ac os y'ch chi ishe siarad â hi, mae hi yn y ganolfan gymunedol. Gwersi dawnsio. Mae hi'n nyts am *Strictly Come Dancing*.'

'Ydy hi? A fi hefyd,' gwenodd Meg. Ond roedd y fam eisoes wedi troi'n ôl at yr efeilliaid ac yn eu llusgo'n ddiseremoni tua'r tŷ.

Pan barciodd y gang eu beics y tu fas i'r ganolfan, allen nhw glywed sŵn cerddoriaeth aneglur y tu mewn.

'W, yr American Smooth,' meddai Meg, ei llygaid yn pefrio.

'Y beth?' gofynnodd Sbaner.

'Dawns yw hi,' eglurodd Lefi.

'Ers pryd ti'n gwybod unrhyw beth am ddawnsio, Lefi Daniels?' holodd Sbaner mewn sioc.

'Ers i Meg a Mam 'ngorfodi i i wylio *Strictly* bob tro mae e 'mlaen.'

'W! Poenus!' chwarddodd Sbaner wrth iddyn nhw wylio Meg yn diflannu i'r ganolfan a dilyn y gerddoriaeth i'r stafell fawr ym mhen pellaf yr adeilad. Mewn chwinciad, roedd y tri'n sbecian drwy bâr o ddrysau dwbwl ac yn gwylio chwe chwpwl mewn gwisgoedd lliwgar yn troelli o gwmpas y stafell. Llithrodd y tri i mewn wrth i'r athro – dyn bach tenau oedd yn dalp o liw haul ffug – gyfarth cyfarwyddiadau ar y dawnswyr o ganol y llawr.

'*Disaaaster, darling*! Ti'n sathru traed dy bartner!' dwrdiodd ac wrth iddo sboncio draw at un o'r dawnswyr i gywiro'i gam, gwelodd y gang mai perchennog Pant-yr-hwch oedd dan y lach. Roedd hi'n sequins sgleiniog o'i chorun i'w sawdl o dan gwmwl o wallt gwyn. 'Gwell, Dilys *darling*, gwell!' meddai'r athro cyn iddo sylwi ar yr ymwelwyr yn y drws. 'A, croeso!' Lledodd gwên ar draws ei wyneb oren. 'Moyn ymuno â'r dosbarth, ife?'

Gwelwodd Sbaner mewn panic wrth i'r athro sboncio tuag atyn nhw'n awchus. 'Yyy . . . na.'

'Dewch 'mlaen, *darlings*!' meddai'r athro. 'Sdim ishe bod yn swil! Ymunwch!'

'No wei!' dechreuodd Sbaner fagio tua'r drws. 'Gas 'da fi ddawnsio!'

Diflannodd gwên yr athro a sylweddolodd Sbaner ei fod wedi dweud y peth anghywir. 'Yyym . . . ishe siarad â Dilys Pant-yr-hwch 'yn ni . . .' eglurodd, ond roedd hi'n amlwg ei fod wedi digio'r athro.

'Mae Dilys yng nghanol *lesson*!' chwyrnodd. 'Wedyn, tyff!'

'Wel, arhoswn ni iddi fennu 'te,' meddai Sbaner. 'Mae'n bwysig.'

'Sdim byd yn bwysicach na dawnsio!' pwysleisiodd yr athro. 'A fydda i ddim yn caniatáu *audience* yn fy *lessons*. Felly mas.' Dechreuodd hel y plant tua'r drws, cyn i Meg geisio achub y sefyllfa.

'Dwi'n cytuno,' meddai Meg. 'Sdim byd yn bwysicach na dawnsio. Dwi'n dwlu arno fe! A dwi'n credu eich bod chi 'run ffunud â Craig Revel Horwood.'

'Wyt ti?' Meddalodd yr athro. 'Wel, nid ti yw'r cyntaf i sylwi ar y tebygrwydd, a dweud y gwir . . .'

'Dim hi fydd yr ola chwaith,' ychwanegodd Lefi wrth i frest yr athro chwyddo'n falch.

'Ti'n ffan o *Strictly* hefyd?'

'Ydw! Dwi'n dwlu arno fe 'fyd.' Rhaffodd Lefi gelwyddau wrth i Sbaner syllu'n hurt arno. 'Felly gawn ni aros i gael gair â Dilys Pant-yr-hwch, plîs?'

'O, *if you must*,' rhoddodd yr athro ochenaid ddramatig wrth i fiwsig yr American Smooth ddod i ben. 'Ry'n ni ar fin cael *break* ta beth. Felly gewch chi sgwrs glou â hi, ond wedyn fydd rhaid i chi a'r bachgen bach *cheeky* 'ma fynd!'

43

Saethodd yr athro edrychiad gwenwynig i gyfeiriad Sbaner, cyn troi at y dosbarth a chlapio'i ddwylo. 'Reit, bawb! *Coffee break*! A Dilys *darling*, mae'r plant 'ma ishe gair . . .'

Sbeciodd Dilys Pant-yr-hwch arnyn nhw dros dop ei sbectol *diamanté*. 'Ydw i'n eich nabod chi?' gofynnodd gan edrych arnyn nhw'n amheus.

'Na. Dwi ddim yn credu. Lefi ydw i,' cyflwynodd Lefi ei hun, wrth i weddill y dosbarth heidio drwy'r drws i nôl dishgled. 'A dyma Meg, fy chwaer fach i. A Sbaner. Ŵyr Tomi Tecila. Mae'n siŵr eich bod chi'n ei adnabod e . . .'

'Ooo, mae pawb yn adnabod Tomi!' meddai Dilys gan gynhesu atyn nhw'n syth. 'Bachan ffein. A beth alla i wneud i helpu 'i ŵyr a'i ffrindie 'te?'

Doedd y gang ddim eisiau cyfaddef eu bod ar drywydd Darren Drygs er mwyn cipio'i arian coll o dan drwyn Keira a Tal, rhag ofn iddyn nhw gael stŵr am wneud rhywbeth mor beryglus. Felly roedden nhw wedi penderfynu esgus mai chwilio am hanes y dihirod oedd ynghlwm wrth Operation Julie ar gyfer prosiect ysgol roedden nhw.

'Prosiect ysgol? Ar Operation Julie?!' wfftiodd Dilys. 'Beth yn y byd sy'n bod ar eich athro chi?

Anghofio am yr hen fusnes 'na sydd ishe! Dim gwneud prosiect amdano fe – a hynny dros wyliau'r haf hefyd!'

'Ond mae'n ddiddorol iawn,' mentrodd Meg.

'Diddorol!' ebychodd Dilys gan eistedd ar gadair gyfagos a dechrau glanhau ei sbectol diamanté. 'Ddaeth y bennod 'na â dim byd ond cywilydd a gwarth i'r ardal 'ma. Anghofio am y cwbwl ddylen ni . . .'

'Rhaid eich bod chi'n adnabod rhai o aelodau'r gang cyffuriau,' dechreuodd Lefi bysgota. 'Oeddech chi'n byw dafliad carreg oddi wrth un ohonyn nhw?'

'Darren Drygs? Hy! Peidiwch â sôn wrtha i am yr ionc hwnnw!' wfftiodd Dilys. 'Doedd gen i ddim syniad 'i fod e'n rhan o'r ffatri gyffuriau! Ro'n i'n meddwl taw hipi bach brwnt o'dd e.'

'Beth y'ch chi'n feddwl?' gofynnodd Sbaner.

'Roedd gydag e wallt seimllyd at hanner ei gefn ag roedd e'n drewi o garlleg. Ych a fi! A doedd e byth yn gwneud strocen o waith yn y tyddyn 'na chwaith. Ond doedd dim rhaid iddo fe, oedd e? Achos roedd e a'i ffrindie'n gwneud 'u harian drwy werthu cyffuriau . . .'

'Oeddech chi'n adnabod gweddill y gang?' holodd Sbaner ymhellach.

'Na. Doedd gen i ddim syniad beth oedd 'u gêm nhw. Ges i ffit pan gafodd Darren 'i ddala. Doedd e ddim yn edrych y teip i ddelio mewn cyffuriau o gwbwl! Bob tro ro'n i'n 'i weld e, roedd e'n crwydro'r ardal gyda'i filgi. A roedd e'n ddiog fel ffwlbart. Golles i gownt o'r troeon weles i fe'n cysgu dan yr hen gollen gam 'na sy yn y pant rhwng Gelli Aur a Thyddyn Broga.'

Edrychodd y plant ar ei gilydd yn sydyn.

'O! Dwi'n gwybod ble mae honno!' meddai Meg. 'Ac oedd e yno'n aml?'

'Bob dydd bron! Un o'i hoff lefydd e, weden i.'

Edrychodd Meg, Lefi a Sbaner ar ei gilydd eto pan ddywedodd hi hynny ond yn ei blaen yr aeth Dilys Pant-yr-hwch. 'Roedd e wastad yn gorweddian yn erbyn y boncyff a phapur newydd dros ei wyneb, yn rhochian cysgu.'

'Oedd e'n arfer mynd i rywle arall?' holodd Lefi'n ofalus.

'Pistyll Gloyw. Roedd e yno bob whip stitsh yn yr haf yn diogi, tra bod 'i filgi e'n sblasho yn y dŵr.'

'O, reit. Ble arall oedd e'n arfer mynd?' gofynnodd Sbaner.

'Gredwch chi fyth, ond welodd 'y ngŵr i e ar

bwys Cromlech y Cewri yn neud ioga fwy nag unwaith.'

Ioga? Synnodd y gang. Bob eiliad, swniai Darren Drygs yn llai a llai tebyg i rywun oedd yn delio mewn cyffuriau, ond efallai fod hynny'n rhan o'r twyll.

'Ie! Roedd e â'i ben-ôl yn yr awyr, ar doriad gwawr,' wfftiodd Dilys. 'Real hipi! Bachan od ar y naw. A dwi ddim yn siŵr iawn a ddylech chi fod yn gwneud prosiect arno fe a'r dihirod eraill hynny. Operation Julie, wir. A fydda i'n dweud hynny wrth eich athro chi hefyd, pan wela i e.'

'Y . . . na . . . sdim ishe i chi neud hynny,' meddai'r plant fel côr, gan ofni y bydden nhw mewn dŵr twym. Wrth iddyn nhw brotestio, agorodd y drws ac arweiniodd yr athro dawns weddill y dosbarth yn ôl i mewn i'r stafell.

'Reit, *darlings*! Amser ailddechre'r *class*! Y Cha-cha-cha sydd nesa. *Positions please*,' meddai gan lygadu Sbaner.

'Mas o 'ma, nawr!' meddai Sbaner gan godi fel mellten ac mewn eiliad, roedd gang Gelli Aur wedi diflannu drwy'r drysau dwbwl.

6

Y bore wedyn, roedd Lefi'n cysgu'n sownd pan rwygwyd y cwilt oddi arno.

'Cod!'

'Y . . . ngnggg . . . be?' meddai yntau'n hanner cysgu gan ymbalfalu am gynhesrwydd y cwilt unwaith eto.

'Cod!' cyfarthodd Meg eto. 'Clyw! Mae Sbaner yn canu corn tu fas!'

Cododd Lefi'n ffwdanus i'r ffenest a gweld Sbaner yn eistedd ar y cwad yn y cae tu ôl i'r teras – a synhwyrydd metel Ifan, dwy raw a thrywel wedi'u taflu i'r cefn.

'Dere glou!' gorchmynnodd Meg. 'Ro'n ni i fod yn nhŷ Sbaner am wyth!'

Edrychodd Lefi ar ei gloc a gweld ei bod hi'n ddeg munud wedi wyth. Doedd y larwm ddim wedi canu ac roedd Lefi'n gwybod nad oedd ditectifs da yn gwastraffu amser yn y gwely. O fewn eiliadau, roedd wedi newid o'i byjamas ac yn rhuthro i ddilyn Meg oedd eisoes wedi diflannu drwy ddrws y cefn.

Roedd Sbaner yn dal ei fawd ar gorn y cwad pan ddaeth Lefi i lawr llwybr yr ardd ar garlam. 'O'r diwedd!' cwynodd. 'Allet ti gysgu dros Gymru, Lefi Daniels!'

'Sori, sori,' ymddiheurodd Lefi gan lamu at Meg yn sedd gefn y cwad. 'A stopia ganu'r corn 'na neu fydd Ifan yn sylweddoli dy fod ti wedi bachu'r cwad 'to.'

'Mae e eisoes yn y gwaith. Ac mae'n rhaid i fi fenthyg y cwad heddiw, achos allen ni byth cario'r holl offer 'ma ar ein beics. Nawr, ble chi'n moyn dechre chwilio am yr arian?'

Wedi pwyso a mesur, fe benderfynon nhw mai anelu am y gollen gam oedd y peth callaf i'w wneud, gan fod honno'n nes na Pistyll Gloyw a Chromlech y Cewri, y ddau le arall y soniodd Dilys Pant-yr-hwch amdanyn nhw wrth drafod Darren Drygs. Felly refiodd Sbaner yr injan a gwasgu'r sbardun. Saethodd y cwad ar draws y cae.

Wrth iddo ddringo crib y bryn oedd yn arwain i'r pant at y gollen gam, roedd y cwad yn dechrau grwgnach.

'Mae gormod o bwyse yn y cefn 'na,' meddai Sbaner.

'O ha ha! Ti *mooor* ddoniol!' atebodd Meg.

Chwarddodd Sbaner cyn brecio'n ddisymwth wrth iddyn nhw gyrraedd copa'r bryn gan yrru Meg a Lefi'n bendramwnwgl i flaen y cwad.

'O, na! 'Drychwch,' meddai Sbaner gan bwyntio lawr i'r pant. Roedd dau ffigwr yn y pellter – dau ffigwr cyfarwydd. Tal, oedd yn cloddio ar bwys y gollen, a Keira, oedd yn cyfarth ordors wrth ei ymyl.

'Beth maen nhw yn ei wneud 'na?' llefodd Meg.

'Rhaid eu bod nhw wedi clywed am y gollen – yn gwmws fel ni,' meddai Lefi, ei galon yn suddo.

'Beth wnawn ni nawr?' holodd Meg mewn panig. 'Beth os ddarganfyddan nhw'r arian o'n blaen ni?'

'Sdim ishe mynd i banic . . .'

'Hawdd i ti ddweud hynny, Lefi!' Ffyrnigodd Meg, yn grac fod Keira a Tal gam ar y blaen iddyn nhw. 'Os down nhw o hyd i'r arian, wnawn nhw ddiflannu gydag e mewn chwinciad! Welwn ni mohonyn nhw byth eto – a be wnawn ni wedyn?'

Daeth dim ateb gan y ddau arall.

'Allwn ni eu hala nhw o 'na tybed, gofynnodd Lefi, 'fel ein bod ni'n cael cyfle i chwilio o dan y goeden?'

'Dwi ddim yn ffansio croesi Keira a Tal,' meddai Sbaner. 'Fydden nhw'n ein lladd ni.'

'Allwn ni eu denu nhw o 'na 'te?' cynigiodd Lefi.

'Sut?' gofynnodd Meg.

'Dim syniad. Dim ond awgrym oedd e . . .'

'Un dwl!'

'Oes syniad gwell 'da ti, Meg?'

'Nag oes.'

'Wel cau dy geg 'te!'

'Hei, peidiwch â chwmpo mas, bois,' meddai Sbaner. 'Sdim i'w ddweud mai fan'na mae'r arian wedi'i gladdu ta beth. Alle fe fod wrth y Pistyll Gloyw, neu ar bwys Cromlech y Cewri?'

'Ti'n iawn,' pwyllodd Meg. 'Ond beth os yw Keira a Tal eisoes wedi bod yn chwilio yno, a heb ddarganfod dim?'

'Falle 'u bod nhw,' cytunodd Sbaner. 'Falle ddim. Falle 'u bod nhw wedi penderfynu dechre chwilio o dan y gollen yn gyntaf – 'run peth â ni. Falle 'u bod nhw'n bwriadu mynd i'r Pistyll Gloyw a Chromlech y Cewri wedyn – os na ddôn nhw o hyd i ddim byd.'

'Wel, os felly 'te, mae angen i ni gyrraedd y Pistyll Gloyw a Chromlech y Cewri o'u blaenau nhw!' meddai Lefi.

Roedd Meg yn deall eu dadl, ond roedd hi'n dal i fecso. 'Ond beth os yw'r arian wedi'i gladdu o dan y gollen?' meddai. 'Beth wedyn?'

'Bydd rhaid i ni jest cymryd y risg,' atebodd Lefi. 'Cytuno?'

Doedd Meg a Sbaner ddim yn siŵr, ond ar hynny, dyma Tal yn taflu ei raw i'r llawr ac yn brasgamu oddi wrth y goeden, fel petai wedi cael digon ar y cloddio diddiwedd.

'Dyw hi ddim yn edrych fel eu bod nhw'n cael dim lwc o dan y goeden,' meddai Lefi.

'Na,' meddai Meg. 'Wedyn ti'n iawn – gore po gynta y cyrhaeddwn ni'r Pistyll Gloyw.'

'Cytuno,' meddai Sbaner gan droi trwyn y cwad tua'r pistyll.

'Waeth i ti heb â dweud mai chdi ydy'r brêns ac mai fi ydy'r mysl!' bytheiriodd Tal wrth iddo frasgamu ar draws y cae, a Keira wrth ei gwt. 'Dwi wedi tyllu cymaint nes bod cledrau 'nwylo i'n *flisters*!'

'Shhhh!' torrodd Keira ar ei draws, wrth iddo fyrstio swigen waedlyd o dan ei thrwyn. 'Ti'n clywed sŵn injan?'

'Y? Yng nghanol nunlle!'

'Shhh!' Clustfeiniodd Keira.

'Dychmygu wyt ti!' meddai Tal. Doedd yr un o'r ddau wedi gweld y cwad yn diflannu dros gopa'r bryn. 'Rŵan, un ai rwyt ti'n tyllu am sbel, Keira, neu dwi'n mynd 'nôl i'r tyddyn!'

''Bach o amynedd, ia?'

'Hy! Ti fel tiwn gron! Dwi'n tyllu ers oriau a dwi ddim wedi cael dim byd ond *blisters*! A dwi wedi cael llond bol . . .'

'Wnes i ddim dweud y byddai hyn yn hawdd, naddo?'

'Ond fyddan ni ddim yn gorfod chwilio am y pres tasan ni ddim mor dlawd! A dy fai di ydy hynny am wario pob ceiniog o be wnaethon ni ddwyn o'r siop gyfrifiaduron 'na yng Nghaer!'

'Wnest ti wario dy siâr o hwnnw 'fyd!'

'Dim gymaint â chdi! Oedd o i fod i bara blwyddyn ag est ti drwyddo fo mewn tri mis!'

'Wel, mae mwynhau dy hun yn fusnes drud, yn tydi?'

'Doedd dim *rhaid* aros mewn gwestai pum seren a llogi limos i fynd ar dripiau siopa i Lundain, nag oedd?!'

'Gawsom ni hwyl, do?' mynnodd Keira. 'A gawn ni fwy o hwyl os down ni o hyd i bres Darren Drygs, felly cau dy geg a chloddia!'

Roedd Lefi, Meg a Sbaner ar bigau'r drain wrth iddyn nhw neidio oddi ar y cwad ger y Pistyll Gloyw. Cribiniodd llygaid y tri'r tir yn ofalus am olion tyrchu, rhag ofn bod Keira a Tal wedi bod yno o'u blaenau, ond doedd y tir heb ei styrbio, diolch byth. Roedd y pistyll yn byrlymu'n chwareus ac yn hynod o bert ac roedd hi'n hawdd gweld pam mai hwn oedd un o hoff lefydd Darren Drygs. Roedd darn cul o dir i'r chwith o'r pistyll, oedd yn rhedeg tuag at y wal gerrig sych gyfagos, ac o fewn eiliadau roedd Sbaner wedi troi'r synhwyrydd metel ymlaen ac yn ei archwilio, tra oedd Meg yn cario'r rhawiau a'r trywel o gefn y cwad er mwyn dechrau tyrchu.

'Lefi, cadw di lygad am Keira a Tal,' meddai, 'rhag ofn iddyn nhw ddal i fyny 'da ni, iawn?'

'Dim probs,' meddai Lefi, gan gipio'r sbien-ddrych o'r cwad a dringo i ben y wal er mwyn iddo allu gweld ymhell. 'Ddaw Keira a Tal ddim yn agos – ddim heb i mi eu gweld nhw'n gynta! Ond gweithia'n glou, Sbaner, jest rhag ofn . . .'

Bu distawrwydd am dipyn wrth i Sbaner archwilio'r tir yn ofalus. Roedd y tri'n ysu am glywed y synhwyrydd yn canu, ond ddaeth dim siw na miw ohono, a bu'r rhawiau a'r trywel yn gorwedd yn segur am dros hanner awr.

'Reit, dyw Darren ddim wedi claddu dim yr ochr yma i'r pistyll,' nododd Sbaner. 'No wei.'

'Dere – gad i ni chwilio'r ochr arall 'te!' meddai Meg gan dynnu ei threinyrs a thasgu drwy ddŵr y nant i'r ochr arall. Dilynodd Sbaner hi'n gyflym, gan gario'r synhwyrydd uwch ei ben, rhag iddo wlychu.

Roedd llain fwy o dir yr ochr arall i'r pistyll, gyda thwmpathau o frwyn a llwyni eithin yn tyfu yng nghysgod clawdd oedd yn rhedeg gydag ochr y nant. Cyn hir, roedd y canolbwyntio wedi ailddechrau, a phawb yn gwrando'n eiddgar am blîp-blîp y synhwyrydd. Ond doedd dim i'w glywed ond sŵn y pistyll a'r gwenyn yn suo yn yr eithin.

'Dere 'mlaen, blipia!' meddai Sbaner wrth y synhwyrydd.

'Ie, gwranda ar Sbaner,' ategodd Lefi. 'Blipia, *pllîîîîss . . .*'

Ond ddaeth dim siw a miw ohono a chymylodd yr awyr, gan adlewyrchu siom y gang. Yna sylwodd Meg ar lwyn o flodau pinc trawiadol yn tyfu yng nghanol yr eithin.

'Hmm, od,' meddai, wrth iddi gerdded draw i'w archwilio. 'Chi ddim yn meddwl ei fod e'n rhyfedd fod llwyn o flodau pinc yn tyfu yn fan'na? Dyw e'n ddim byd tebyg i'r llwyni eraill, ody fe? A tasech chi ishe marcio'r fan ble roeddech chi wedi claddu rhywbeth, dy'ch chi ddim yn meddwl bydde plannu llwyn lliwgar fel hwn yn ffordd dda iawn o wneud hynny?'

'Ti'n meddwl?' Roedd Sbaner yn amheus, ond llonnodd wyneb Lefi.

'Meg – ti'n jîniys!' llefodd gan lamu oddi ar y wal gerrig a drybowndian tuag atyn nhw, yn annog Sbaner i ddechrau archwilio'r tir o gwmpas y llwyn â'r synhwyrydd. Roedd y tri'n dal eu gwynt, yn gweddïo am blîp-blîp, pan dorrodd llais cras ar y distawrwydd.

'*Hei*!'

Gollyngodd Sbaner y synhwyrydd metel yn glatsh wrth i'r tri ddychryn am eu bywyd.

7

Trodd Lefi, Meg a Sbaner gan ddisgwyl gweld Keira a Tal yn sefyll o'u blaenau, ond dyn mawr tew gydag wyneb fel padell a chap tartan coch ar ei ben oedd yn syllu arnyn nhw o'r ochr arall i'r wal gerrig. '*Gee whizz, I didn't mean to scare you kids*!' meddai mewn acen Americanaidd.

'Iesgob, *I nearly had a* harten!' ebychodd Sbaner.

'*A what*?'

'*A heart attack.*' Roedd Sbaner yn crynu fel jeli.

'*Gee, sorry about that, kid,*' meddai'r Americanwr wrth i Sbaner godi'r synhwyrydd metel. '*But I was wondering if you guys could give me some directions? I'm up here looking for Owgof Thoom Sion Ceti . . .*'

'Y? *Owgof Thoom what*?' gofynnodd Lefi, wrth i'r Americanwr tew agor map ar ben y wal gerrig sych.

'Twm Sion Cati,' dywedodd Meg. 'Chwilio am Ogof Twm Sion Cati mae e.'

'*That's what I said*,' meddai'r Americanwr, wrth i'r tri arall lyncu gwên. '*I'm in the old country researching my roots. And I think this Thoom guy is related to me. Cool, huh? The guy at the history exhibition in the village told me the Owgof was up here in the hills. But his directions weren't great . . .*'

'Dyw sgilie darllen map hwn ddim yn grêt, chwaith,' mwmialodd Lefi. Roedd yn gas ganddo glywed ei dad yn cael ei feirniadu. '*Your map is upside down.*'

'*Gee, is it?*' gofynnodd yr Americanwr wrth i Lefi droi'r map y ffordd iawn a gweld croes ble marciodd ei dad leoliad yr ogof. Dechreuodd egluro wrth yr Americanwr sut i gyrraedd yno.

'*Gee, thanks*,' meddai yntau. '*I'm sooo excited to see Thoom's hide out!*' Yna ailgychwynnodd ar ei daith, y camera rownd ei wddf yn swingio fel pendil cloc wrth iddo anelu am y bryniau uwch Cil Caron.

'Ro'n i'n meddwl yn siŵr mai Keira a Tal oedd 'na,' ochneidiodd Sbaner. 'Ac roeddet ti i fod i gadw llygad, Lefi!'

'Dwi'n gwybod. Sori.' Dechreuodd Lefi deimlo'n annifyr am siomi'r ddau arall a dringodd yn ôl i ben y wal gerrig sych.

'Ti *yn* sylweddoli y gallen nhw ddod yma *unrhyw* funud?'

'Ydw! Os nad ydyn nhw wedi dod o hyd i'r arian o dan y gollen, hynny yw . . .'

'Beth? Ti'n meddwl eu bod nhw 'di *llwyddo*, Lefi?' gofynnodd Meg.

'Dim syniad,' atebodd Lefi, gan godi'r sbienddrych ac ailddechrau gwylio. 'Ond os nad ydyn nhw wedi darganfod dim, pam nad ydyn nhw wedi'n dilyn ni i'r fan yma?'

'Falle 'u bod nhw wedi wedi mynd i Gromlech y Cewri i chwilio?' cynigiodd Meg.

'Falle,' cytunodd Lefi, wrth iddi ddechrau pigo bwrw. 'A falle y dylen ni fynd draw 'na i gael sbec?'

'Mae Lefi'n iawn,' meddai Sbaner. 'Achos dyw Darren Drygs ddim wedi claddu 'run geiniog fan hyn.'

'Wel, gore po gynta ewn ni 'te!' meddai Meg ac wrth iddi ddweud hynny daeth sŵn rwmblan taran uwchben. Tywyllodd yr awyr ac mewn chwinciad roedd hi'n arllwys y glaw, a hwnnw'n law caled, cas.

'O na!' llefodd Sbaner gan geisio arbed y synhwyrydd rhag gwlychu. 'Dyma'r peth diwetha sydd ei ishe arnon ni . . .'

Holltodd mellten yr awyr. Yna un arall, ac un arall.

'Ffendiwch gysgod – glou!' gwaeddodd Meg wrth i daran foddi'i geiriau a charlamodd y tri am y cwad.

Roedd y storm yn rhuo erbyn iddyn nhw gyrraedd cegin tŷ Sbaner. Roedd e wedi gyrru gartref ar wib wrth iddo geisio osgoi'r mellt oedd yn goleuo'r awyr o'u cwmpas, a nawr roedd llawr y gegin fel llyn wrth i'r glaw ddiferu oddi ar eu dillad.

'Gobeithio bo' ni ddim wedi gwneud camgymeriad yn dod adre,' meddai Lefi, gan rwbio'i wallt gyda'r tywelion roedd Sbaner yn eu rhannu o'r cwpwrdd crasu.

'Aiff Keira a Tal ddim lan i Gromlech y Cewri yn y tywydd 'ma,' mynnodd Meg. 'Bydde neb call yn mynd mas mewn storm fel 'ma, Lefi!'

'Ond dyw Keira a Tal ddim yn gall!'

''Drych, os bydden ni wedi mynd lan i Gromlech y Cewri, gallen ni fod wedi cael ein bwrw gan fellten . . .'

'Trueni na fydde Keira a Tal yn cael eu bwrw gan fellten, ' cwynodd Lefi.

'Jiw jiw, am ddweud mawr,' meddai Tomi Tecila wrth iddo gamu drwy'r drws cefn, ei farf wen yn wlyb stecs. 'A beth mae'r ddau Gog 'na wedi'i wneud i'ch ypsetio chi nawr 'to?'

'Y . . . ym . . . dim,' mentrodd Lefi, ddim yn siŵr faint o'r sgwrs glywoddd tad-cu Sbaner.

'Rhaid 'u bod nhw wedi gwneud rhywbeth?' meddai Tomi Tecila, gan godi ael yn amheus.

Doedd neb eisiau cyfaddef eu bod nhw'n rasio yn erbyn Keira a Tal er mwyn darganfod arian Darren Drygs, felly newidiodd Meg drywydd y sgwrs. 'Wedi bachu ein *den* ni maen nhw, yntefe.'

'O, ie. Glywes i 'u bod nhw wedi symud mewn i Gelli Aur,' meddai Tomi Tecila gan sychu'i farf â lliain sychu llestri. 'Twll o le. A sdim rhyfedd 'u bod nhw'n dianc i'r dafarn 'co bob cyfle gawn nhw. Maen nhw 'na nawr – yn boddi'u gofidiau . . .'

'Nawr?' gofynnodd Sbaner gan edrych ar Lefi a Meg. Os oedd Keira a Tal yn Nhafarn Cati, do'n nhw ddim yn dal i chwilio o gwmpas y gollen gam a do'n nhw ddim yng Nghromlech y Cewri chwaith!

'Odyn,' meddai Tomi Tecila. 'Wedi cael diwrnod gwael, medden nhw.'

'Pa fath o ddiwrnod gwael?' saethodd y cwestiwn o geg Sbaner.

'Wnes i ddim holi,' atebodd Tomi Tecila ond

cyflymodd galonnau'r tri arall. Doedd yna ddim un ffordd fod Keira a Tal wedi dod o hyd i arian Darren Drygs. Ddim os o'n nhw wedi cael diwrnod gwael. 'Ta beth, dwi ddim 'ma i drafod y Gogs,' aeth Tomi Tecila yn ei flaen. 'Ishe gwbod a alli di olchi llestri i mi yn y gegin heno ydw i, Sbaner? Mae'r peiriant golchi llestri ar y blinc ac mae'r dafarn dan ei sang. Fydden i'n gwerthfawrogi ychydig bach o help . . .'

'Wrth gwrs y gwnaiff e!' meddai Meg, cyn i Sbaner gael cyfle i agor ei geg.

'Tip top,' diolchodd Tomi Tecila. 'Af i i ddweud wrth dy fam dy fod ti'n dod i'r dafarn i roi help llaw i mi,' ychwanegodd gan ddiflannu i'r lolfa ble roedd ei ferch wrthi'n rhoi gwers sacsoffon i rywun oedd yn chware mas o diwn.

'Pam ddwedest ti y byddwn i'n helpu?' trodd Sbaner at Meg. 'Dwi'n casáu golchi llestri!'

'Ond mae hwn yn gyfle gwych i ti gadw llygad ar Keira a Tal!' meddai Meg yn llawn cyffro.

'O, wnes i ddim meddwl am hynna . . .'

'Tria ddarganfod beth yn gwmws ddigwyddodd heddiw, iawn? Ffendia mas os y'n nhw eisoes wedi bod lan yng Nghromlech y Cewri hefyd, a beth yw 'u cynllunie nhw ar gyfer fory.'

'A tecstia yr *eiliad* y gwnei di ddarganfod rhywbeth. *Unrhyw* beth!' ychwanegodd Lefi'n frwd. 'Fyddwn ni gam ar y blaen iddyn nhw wedyn.'

Nodiodd Sbaner yn gynhyrfus wrth i Tomi Tecila ddychwelyd o'r lolfa a'i arwain 'nôl mas i'r glaw.

8

Roedd mynydd o blatiau brwnt yn aros am Sbaner pan gyrhaeddodd Dafarn Cati ac roedd y cogydd yn falch iawn o'i weld. Roedd e'n chwys domen ac roedd y weinyddes oedd yn ei helpu yn suo fel gwenynen rhwng y bar a'r gegin yn cludo llestri llawn bwyd. Roedd Tomi eisiau i Sbaner dorchi ei lewys yn syth ond ei flaenoriaeth e oedd darganfod a oedd Keira a Tal yn dal yn y bar. Felly gwnaeth esgus fod yn rhaid iddo fynd i'r tŷ bach cyn iddo ddechrau ar ei waith.

'Glou 'te!' meddai Tomi Tecila wrth i'w ŵyr ddiflannu drwy'r drws a sleifio i'r bar. Roedd y lle dan ei sang a'r person cyntaf welodd Sbaner oedd yr Americanwr tew.

'*Hey kid, I found Thoom's hideout!*' meddai, ond doedd gan Sbaner ddim math o ddiddordeb ac wrth i'r Americanwr ddychwelyd at griw o dwristiaid eraill, cribiniodd ei lygaid y bar. Gwelodd fod wyres Dilys Pant-yr-hwch yno'n dathlu ei phen-blwydd gyda chriw o'i ffrindiau un ochr i'r stafell, tra oedd yr athro dawns oren a rhai o'i ddawnswyr yn cael pryd o fwyd sidét yr ochr arall. Doedd dim golwg o Keira a Tal a suddodd calon Sbaner wrth iddo feddwl eu bod eisoes wedi gadael. Ond yna cododd yr athro croen oren i brynu diod o'r bar a chafodd Sbaner gip ar y ddau'n crymu dros fwrdd yng nghornel bellaf y stafell. Diolch byth – roedden nhw'n dal yma! Y cwbl roedd eisiau i Sbaner ei wneud nawr oedd ffeindio ffordd o fynd yn ddigon agos atyn nhw i glustfeinio ar eu sgwrs. Ond cyn iddo lwyddo i wneud hynny, teimlodd law ei dad-cu ar ei war.

'Hei, shifftia hi 'nôl i'r gegin, gw'boi!' Cyn i Sbaner sylweddoli beth oedd yn digwydd, roedd e'n cael ei wthio'n ôl drwy ddrysau'r gegin ac mewn eiliad, roedd e at ei beneliniau mewn swigod yn y sinc. Ond y cwbl roedd e'n gallu meddwl amdano oedd sut roedd e'n mynd i lwyddo i fynd 'nôl i'r bar. Byddai Meg a Lefi mor siomedig petai e'n ffaelu darganfod unrhyw beth, a doedd Sbaner *ddim* yn mynd i'w siomi. Felly pan ddywedodd y weinyddes fod rhai o'r cwsmeriaid yn cwyno ei bod hi'n ffaelu clirio'r llestri brwnt yn ddigon clou, mas â Sbaner yn syth bìn i'w helpu.

Heb feddwl ddwywaith, dechreuodd glirio platiau oddi ar fyrddau ar bwys Keira a Tal, gan geisio clustfeinio a oedden nhw'n trafod unrhyw gynlluniau. Ond roedd problem – roedden nhw'n siarad yn rhy isel i Sbaner fedru eu deall. Felly cripiodd yn ei flaen ychydig. Dyna pryd sylwodd Keira arno. 'O, ddim chdi *eto*,' ysgyrnygodd. 'Ti'n dilyn ni rownd fel arogl drwg . . .'

'Gadewch i fi glirio rhai o'r rhain i chi,' meddai Sbaner gan estyn am rai o'r dysglau a'r gwydrau brwnt oedd ar fwrdd Keira a Tal. Roedd e'n gobeithio bod y ddau'n mynd i gario ymlaen â'u sgwrs, ond dorrodd yr un ohonyn nhw air. Doedd gan Sbaner ddim dewis felly ond dechrau pysgota.

'Sut y'ch chi'n setlo yng Ngelli Aur 'te?' holodd. Dim ateb. 'Iawn . . . felly, wnaethoch chi rywbeth difyr heddiw?

'Meindia dy fusnes!' chwyrnodd Keira.

'A . . . beth am fory? Chi'n gwneud rhywbeth difyr fory?'

'Be wyt ti – byddar?' Cododd Keira'n ddisymwth a brysio i gyfeiriad drws y bar, a Tal wrth ei chwt.

Ciciodd Sbaner ei hun wrth iddo'u gwylio'n mynd. Beth ddaeth drosto fe'n gofyn cwestiynau mor ofnadwy o dwp ac amlwg? Oedd e'n disgwyl i Keira a Tal gyfaddef eu cynlluniau wrtho mewn gwirionedd? Pam na fu e'n fwy clyfar wrth eu holi? Roedd Sbaner wedi gwneud ffradach o bethau a throdd ei stumog wrth iddo'u gwylio'n mynd i lawr corridor y dafarn a mas drwy'r drws cefn. Doedd Lefi a Meg ddim yn mynd i faddau iddo am ei dwpdra. Ond yna stopiodd Keira a Tal tu fas i'r drws cefn a thanio sigarét yr un. Nid mynd adref oedden nhw, ond mynd mas am fwgyn!

Roedd ardal smygu Tafarn Cati tu fas i dai bach y dynion ac roedd ffenest yn y fan honno ble roedd siawns i Sbaner wrando ar Keira a Tal yn siarad. Felly sleifiodd i mewn i'r tŷ bach, ei ddwylo'n llawn llestri budr, ac er bod rhai o'r dynion oedd yno ar y pryd yn edrych yn rhyfedd arno, anwybyddodd Sbaner nhw. Rhoddodd y llestri yn y sinc, cripian o dan y ffenest, a chlustfeinio. Roedd yr Americanwr y tu fas yn smygu hefyd ac roedd e wedi dechrau siarad am Twm Sion Cati gyda Keira a Tal. Roedd Sbaner yn ofni na fydden nhw'n cael cyfle i drafod eu cynlluniau tra oedd yr Americanwr yn browlan, ond buan y dywedodd Keira wrtho am stwffio'i straeon diflas am ei wreiddiau Cymreig.

'Am grinc!' meddai wrth i'r Americanwr 'i gwadnu hi'n ôl i'r bar yn sarrug. 'Mae gynnon ni bethau pwysicach i'w trafod na fo. A ble ti'n meddwl y dylen ni ddechra chwilio bora fory, Tal? Y Pistyll Gloyw 'ma neu Gromlech y Cewri?'

Saethodd ias drwy Sbaner. Roedden nhw'n trafod eu cynlluniau – o'r diwedd!

'Pistyll Gloyw,' atebodd Tal. 'Mae o'n nes at y tyddyn. A jest gobeithio y down ni o hyd i'r pres fory achos roedd heddiw'n wast o amsar llwyr.'

'Alli di neud rhwbath 'blaw cwyno?'

'Pryna beint i mi ac ella gwna i styried y peth.'

'Gei *di* brynu peint i *mi*!' arthiodd Keira ac wrth i'r ddau ddiffodd eu sigaréts a dychwelyd at y bar, roedd Sbaner ar ben ei ddigon. Roedd e'n gwybod na wnâi Keira a Tal ddarganfod unrhyw beth o werth yn y Pistyll Gloyw, ac os oedden nhw'n mynd draw yno ben bore fory, gallai e, Lefi a Meg fynd i Gromlech y Cewri a chael digon o amser i archwilio'r lle'n drylwyr, heb orfod edrych dros eu hysgwyddau bob munud. Ymbalfalodd Sbaner am ei ffôn symudol a thecstio un gair at Lefi a Meg.

'Bingo!'

9

Roedd Meg yn anesmwyth o'r funud y cyrhaeddon nhw Gromlech y Cewri y bore canlynol. Er bod yr hen garreg yn edrych yn hudol yn haul tyner y bore, roedd teimlad cyntefig, cyfrin i'r holl le oedd yn gwneud i Meg deimlo'n annifyr. Roedd hi'n groen gŵydd drosti o'r eiliad y parciodd Sbaner y cwad ar bwys y giât fochyn a chychwyn cerdded y llwybr defaid a arweiniai i'r bryncyn ble safai'r gromlech. Er iddi drio, doedd hi ddim yn gallu cael gwared o'r teimlad bod rhywbeth ar fin mynd o'i le.

'Gobeithio na wnawn ni ffeindio dim byd erchyll wrth i ni gloddio 'ma,' meddai gan edrych o'i chwmpas yn nerfus.

'Fel beth?' gofynnodd Lefi.

'Sgerbwd neu rywbeth. Cofiwch 'u bod nhw'n claddu'r meirwon o dan gromlechi slawer dydd . . .'

'Oddi tanyn nhw, Meg! Ddim yn y tir o'u cwmpas nhw!' chwarddodd Lefi. 'Dwi ddim yn credu gwnawn ni ddod o hyd i benglog – os mai dyna wyt ti'n ei ofni.'

'Gobeithio ddim.' Cnodd Meg ei gwefus yn bryderus. 'A dy'ch chi ddim ... wel, d'ych chi ddim yn meddwl bod 'na ysbrydion yma, y'ch chi?'

'Www-www!' sgrechiodd Sbaner fel ysbryd. Dychrynodd Meg.

'Ti ddim yn ddoniol, Sbaner!' ceryddodd, gan roi ergyd iddo yn ei asennau.

'Mae Lefi'n chwerthin, ta beth,' meddai Sbaner, wrth i Meg edrych yn gas ar ei brawd.

'Wel, gewch chi sganio a chloddio heddiw,' meddai Meg. 'Gadwa i lygad, rhag ofn i Keira a Tal ddod.'

'Dyw hynny ddim yn debygol. Ddim a hwythe'n chwysu chwartiau draw ym Mhistyll Gloyw bore 'ma,' atebodd Sbaner.

'Na. Ond ddown nhw o 'na pan sylweddolan nhw nad yw'r arian 'na. A bydd ishe i ni fod yn barod,' mynnodd Meg gan annog y bechgyn i ddechrau ar y gwaith. Cynta'n byd y bydde nhw'n dechrau, cynta'n y byd y gallen nhw fynd oddi yno, meddyliodd.

Hedfanodd yr amser wrth i Lefi a Sbaner gymryd eu tro'n cerdded o gwmpas y gromlech gan wneud yn siŵr eu bod yn sganio pob modfedd o'r tir. Yna'n sydyn, blipiodd y synhwyrydd.

'Ww, 'co ni off!' meddai Sbaner yn awchus. 'Falle y down ni o hyd i sgerbwd, Meg!'

'Sbwci-iii!' chwarddod Lefi ond daeth gwg i'w wyneb pan ddaeth hen daniwr sigaréts i'r golwg yn y borfa. Bwrodd y siom nhw fel gordd. Roedden nhw wedi chwilio pob un o hoff lefydd Darren Drygs erbyn hyn ond doedden nhw ddim wedi darganfod unrhyw beth gwerth sôn amdano, ac i wneud pethau'n waeth, holltodd bloedd gynddeiriog drwy'r awyr.

'Sbaneeeer!'

'O-o . . .' gwelwodd Meg wrth iddi weld Ifan yn stryffaglu trwy'r giât fochyn islaw. 'Dy frawd! Mae fe mas yn rhedeg. A ma fe wedi gweld y cwad . . .'

'Beeeth?' Rhedodd Sbaner at Meg mewn panig. 'Mae e i fod yn y gwaith!'

'Wel, dyw e ddim! A weden i 'i fod e'n edrych yn grac. Yn grac iawn, iawn.'

'Mae e'n mynd i 'nhagu i!' gwichiodd Sbaner, gan sylweddoli nad oedd lle i guddio. 'A chuddia'r synhwyrydd, Lefi, cyn iddo weld hwnna hefyd!'

'Cuddio? Ble?'

'Rhywle! *Unrhywle*! Jest gwna'n siŵr nad yw Ifan yn 'i weld e neu fydd pethe'n saith gwaeth!'

Taflodd Lefi'r synhwyrydd metel y tu ôl i'r gromlech a rhuthro'n ôl at Sbaner a Meg wrth i Ifan eu cyrraedd. 'Beth ti'n feddwl wyt ti'n ei neud yn dwyn y cwad?'

'Ym . . . sori . . . ond, dim . . . ym . . . dim 'i ddwyn e wnes i . . .' bagiodd Sbaner yn ei ôl. 'Dim ond 'i fenthyg e.'

'Dwyn yw cymryd heb ofyn!' bloeddiodd Ifan. 'A dwi'n moyn yr allweddi! *Nawr*!' Camodd yn ei flaen yn fygythiol a meddyliodd Sbaner ei fod am gael dwrn. Ond dim ond chwifio'i law o dan ei drwyn wnaeth Ifan.

'Allet ti fod wedi cael crash!' meddai Ifan gan gipio'r allweddi oddi ar ei frawd bach. 'Ac oes 'da ti unrhyw syniad faint mae cwads yn gostio? Miloedd! A ti'n llawer, llawer, rhy ifanc i fod yn *joy-reidio* ar draws y caeau!'

'Nage *joy-reidio* ro'n ni!'

'Paid â'u rhaffu nhw!'

'Na!' mynnodd Sbaner. 'Roedd rhaid i mi fenthyg y cwad!'

'I beth?' gofynnodd Ifan. Y peth olaf roedd Sbaner yn bwriadu'i wneud oedd cyfaddef eu bod nhw ar drywydd arian Darren Drygs, ond gwthiodd Ifan ei wep i'w wyneb. 'I beth?'

Cyn i neb wybod beth oedd yn digwydd, roedd Sbaner wedi gollwng y gath o'r cwd ac wedi dweud wrth Ifan am y ras yn erbyn y cloc i ddarganfod arian Darren Drygs o flaen Keira a Tal. Roedd Sbaner yn disgwyl llond pen am wneud rhywbeth mor beryglus, ond dechreuodd Ifan chwerthin. 'Chi 'rioed wedi llyncu'r dwli 'na am arian cudd Darren Drygs?'

'Dim dwli yw e! 'Na'r stori ry'n ni wedi'i chlywed,' meddai Meg yn amddiffynnol.

'Stori sy'n mynd ambytu'r lle ers *tri deg pump* o flynyddoedd! Tase Darren Drygs wedi claddu'i arian yn rhywle, ti ddim yn meddwl y bydde rhywun wedi dod o hyd iddo fe erbyn hyn? Mae 'na *ddegau* o bobl wedi chwilio amdano fe, yn cynnwys fi!'

'Ti?' Tyfodd llygaid Sbaner yn ddwy soser fawr. 'Pryd?'

'Blynydde 'nôl. Pan o'n i'r un oed â chi. Ac o leia roedd gen i synhwyrydd metel pan o'n i'n chwilio! Dim ond rhawie sy 'da chi!' chwarddodd Ifan. Doedd yr un o'r tri arall am fentro dweud wrtho fod yr union synhwyrydd hwnnw wedi'i guddio tu ôl i'r gromlech, rhag ofn iddo wylltio'n waeth. 'Dwli yw'r cwbwl,' aeth Ifan yn ei flaen. 'A dy'ch chi ddim hyd yn oed yn chwilio yn y lle iawn. Caer Rhun oedd hoff le Darren Drygs!'

'Sut wyt ti'n gwybod?' gofynnodd Sbaner.

'Achos taw yn y fan honno cafodd ei lwch 'i chwalu wedi iddo fe farw.'

'Wnest ti chwilio yn fan'ny?' holodd Lefi.

'Do. A ffeindio dim ond dom da, felly anghofiwch y dwli 'ma!' Trodd Ifan ar ei sawdl a brasgamu'n ôl i lawr y bryn.

'Hei, ble ti'n mynd?' gwaeddodd Sbaner.

'Mynd â'r cwad 'ma gatre!'

'Ond bydd raid i ni gerdded bob cam 'nôl i Cil Caron wedyn . . .'

'Hy! Tyff!' bloeddiodd Ifan gan ddiflannu drwy'r giât fochyn a rhoi coblyn o glep iddi ar ei ôl.

10

Rhoddodd Meg sgwyrt enfawr o sos coch ar y
pizza oer roedd hi'n ei gael i ginio, cyn dringo i
ben y gromlech ble roedd Lefi a Sbaner yn trafod
dros frechdan gaws a jam beth i'w wneud nesaf.

'Falle dylen ni roi'r ffidl yn y to,' ochneidiodd
Lefi.

'Be? Pam?'

'Wel, mae gan dy frawd bwynt. 'Drycha, tase
Darren Drygs wedi claddu'i arian yn rhywle yn
yr ardal, dwi'n siŵr bydde rhywun wedi hen
ddod o hyd iddo erbyn hyn. Wedi'r cwbl, ry'n ni
wedi chwilio bob un o'i hoff lefydd erbyn hyn a
heb ddarganfod dim!'

'Ond dy'n ni ddim wedi chwilio yng Nghaer
Rhun!' mynnodd Sbaner.

'Mae Ifan wedi chwilio . . . a wnaeth e ffendio
dim byd!'

'Hy! Allai Ifan ddim ffendio'i ffordd mas o fag
papur,' wfftiodd Sbaner. 'A dwi'n credu y dylen
ni roi un cynnig arall arni. Cytuno, Meg?'

'Wel, a bod yn onest, sai'n siŵr beth i'w feddwl rhagor . . .' meddai hithau gan fwrw Sbaner oddi ar ei echel.

'Y? Ond dy syniad *di* oedd chwilio am yr arian yn y lle cynta!'

'Dwi'n gwybod hynny, Sbaner,' meddai Meg, 'ond dwi'n gweld pwynt Lefi hefyd. Ydych chi'n meddwl bod Keira a Tal yn gwybod am Gaer Rhun?'

'Dim syniad!' atebodd Sbaner. 'Ond dim ond un ffordd sy 'na o ffendio mas. Bydd rhaid i ni fynd draw yno.'

'Beryg mai gwastraff amser fydd e,' meddai Lefi. Doedd Sbaner ddim yn gallu credu ei fod e a Meg yn dechrau cael traed oer.

'O, dewch 'mlaen, bois!' meddai. 'Sdim byd gwell 'da ni i'w wneud! Ac os af i adref nawr, ga i yffach o stŵr 'da Mam am ddwyn y cwad . . .'

'O! *Dyna* pam ti'n moyn mynd i Caer Rhun mewn gwirionedd, ife?' ebychodd Lefi. 'Er mwyn osgoi stŵr gan dy fam!'

'Na, dwi'n moyn dod o hyd i arian Darren Drygs! Ac mae'n werth rhoi *un* cynnig arall arni, siawns! Ar ôl popeth ry'n ni wedi bod drwyddo fe . . . Chi oedd yn moyn bod yn arwyr!'

atgoffodd Sbaner nhw. 'A fyddwch chi byth yn arwyr wrth wneud dim byd!'

'Ti wedi newid dy gân!' cyhuddodd Meg. 'Doeddet ti ddim yn moyn hyd yn oed chwilio am yr arian ar y dechre!'

'Mae pethe wedi newid ers hynny,' mynnodd Sbaner. 'A *tasen* ni'n dod o hyd iddo fe, fydde Ifan mor grac â'i hunan am chwerthin am ein pennau ni. O, dewch 'mlaen,' plediodd, 'gadewch i ni roi *un* cynnig arall arni. Os ffaelwn ni ddarganfod arian Darren Drygs y tro 'ma, wel, anghofiwn ni am y cwbwl byth bythoedd, amen. Addo. Wedyn, beth chi'n ddweud?

Edrychodd Lefi a Meg ar ei gilydd. 'Man a man i ni gytuno,' meddai Meg. 'Wnaiff Sbaner ddim byd ond dannod fel arall a dy'n ni ddim am foddi yn ymyl y lan.'

'O ocê,' ochneidiodd Lefi a lledodd gwên fel y gwanwyn dros wyneb Sbaner wrth iddo lamu i lawr o'r gromlech.

Cymerodd awr iddyn nhw gerdded i Gaer Rhun – cae sgwâr oedd yn fyw o flodau menyn gyda choed pinwydd trwchus yn ei amgylchynu fel rheng o filwyr. Doedd dim golwg o Keira a Tal yno, diolch byth, a dechreuodd Sbaner sganio'r tir â'r synhwyrydd yn syth. Bu'n gweithio'n ddygn am sbel, tra oedd Meg a Lefi'n ei wylio o ble roedden nhw'n eistedd yng nghanol y cae. Pan gyrhaeddodd e'r pant oedd reit yng nghornel pellaf y cae, canodd y synhwyrydd yn glir.

'Bois!' syllodd Sbaner ar y ddau arall yn gyffrous. 'Glywsoch chi hwnna?'

Sioncodd Meg drwyddi, cydio yn y rhawiau a brasgamu ar draws y cae tuag ato, ond symudodd Lefi ddim blewyn 'Peidiwch â chynhyrfu gormod,' gwaeddodd ar y ddau arall. 'Hoelen neu gan o lemonêd fydd 'na . . .'

'Stopia fod mor negyddol!' meddai Sbaner.

'Dim ond dweud . . .'

'Wel, paid!' dwrdiodd Sbaner, gan rowlio'i lygaid wrth i Meg estyn rhaw iddo. Torrodd Meg dywarchen fach dwt uwch y fan ble canodd y synhwyrydd a daeth sgwâr o bridd du i'r golwg. Archwiliodd Meg e'n fanwl, ond doedd dim tamed o fetel yn y pridd, felly dechreuodd Sbaner a hithau dyllu am yn ail. Cyn hir roedd pentwr o bridd ar eu pwys.

'Wel, o'n i'n iawn?' gwaeddodd Lefi.

'Ti'n meddwl alli di ddod i'n helpu ni i gloddio,' gofynnodd Meg, 'yn lle eistedd yn y fan 'na'n bod yn ddiflas?'

'Dwi'n iawn ble ydw i, diolch yn fawr,' atebodd Lefi gan adael i'r ddau arall chwysu hebddo. Roedd y twll yn mynd yn ddyfnach ac yn ddyfnach a chyn hir roedd bochau Sbaner a Meg yn biws.

Yna – *clec*!

Bwrodd rhaw Meg rywbeth caled.

'Beth ti wedi'i fwrw?' saethodd y cwestiwn o geg Sbaner fel bwled.

'Dim syniad.' Daeth clec arall wrth i raw Meg ei fwrw eilwaith. Daliodd y ddau eu gwynt wrth iddyn nhw syllu i waelod y twll. Oedd y cês yno? Oedden nhw wedi dod o hyd i arian Darren Drygs o'r diwedd? Doedd Meg na Sbaner ddim yn gallu gweld beth yn union oedd yn y twll, ond roedd rhywbeth i'w weld yn y pridd. Gollyngodd Meg ei rhaw a dechrau crafu'r pridd â'i dwylo. Mewn chwinciad, roedd Sbaner yn ei helpu.

'Ma' rhywbeth 'ma, Lefi! Rhywbeth gwell na hoelen neu gan o lemonêd!' gwaeddodd Meg ac wrth iddi ddweud hynny, daeth rhywbeth llyfn, llwyd i'r golwg yng ngwaelod y twll.

'Ti o ddifri?'

'Ydw. Felly dere i'n helpu ni, yn lle eistedd fan'na fel llo!'

Yn sydyn, roedd Lefi'n brysio tuag atyn nhw ar draws y cae.

'Ti ddim yn meddwl taw carreg yw e, wyt ti, Meg?' gofynnodd Sbaner yn bryderus.

'Na – edrych,' meddai Meg. Roedd rhyw fath o fwa ar ochr y peth llyfn, llwyd.

'Beth yw e?'

'Dim syniad,' atebodd hithau. 'Estyn y trywel i mi, Sbaner.' Roedd y pridd wedi'i wasgu'n dynn o gylch y bwa a dechreuodd Meg grafu o'i gwmpas yn ofalus er mwyn ei lacio.

'Gofal, rhag i ti'i racso fe,' meddai Sbaner wrth i Lefi ymuno â nhw.

'Ie, wel, ife arian Darren Drygs yw e?' gofynnodd Lefi'n obeithiol gan rythu i ddyfnderoedd y twll.

'Dyw e ddim yn edrych yn debyg i gês i mi,' atebodd Meg gan grafu'n galed.

'Wel, grêt – jest grêt!' meddai Lefi, a siom yn ei lorio unwaith eto. 'Ddywedais i na fyddai'r arian 'ma, ondofe? A pha rybish y'ch chi wedi'i ddarganfod nawr?'

Daeth rhyw fath o jwg lwyd i'r golwg yng ngwaelod y twll. Braich y jwg oedd y bwa oedd yn ymwthio o'r pridd ac roedd rhyw fath o gaead yn cau ceg ei gwddf hir. Roedd y pridd yn glynu'n dalpau tamp i'r jwg ac roedd Meg yn cael ffwdan ei thynnu o'r ddaear gan ei bod wedi'i phlannu mor ddwfn. Rhoddodd Sbaner help llaw iddi ond cymrodd achau iddyn nhw rwygo'r jwg gron yn ofalus o'r pridd.

'Waw!' ebychodd Sbaner. 'Mae honna'n hen!'

'Hen iawn, iawn,' cytunodd Meg.

'Sdim ots gen i os yw hi mas o'r Arch!' cwynodd Lefi'n bwdlyd. 'Dim cês Darren Drygs yw hi ac am hwnnw ro'n ni'n chwilio! Ond dyw e ddim yma, yw e? A waeth i ni dderbyn unwaith ac am byth mai celwydd noeth yw'r stori am yr arian cudd.'

Teimlai Meg a Sbaner yn ddigon siomedig na ddaeth yr arian i'r golwg, ond ar yr un pryd, roedden nhw'n llawn cyffro o weld y jwg, a phan grafodd Meg fwy o'r pridd, gallen nhw weld bod patrwm o'r haul a'r sêr arni. 'Y'ch chi'n meddwl bod rhywbeth ynddi hi?' gofynnodd.

'Oes ots?' gofynnodd Lefi'n ddig.

'Wrth gwrs fod ots!'

'Ry'n ni'n treulio trwy'r dydd yn chwilio am arian sydd ddim yn bodoli a'r cwbl ti ishe 'i wybod yw oes 'na rywbeth yn y jwg!' Dechreuodd Lefi wylltio.

'Agor e, Meg!' meddai Sbaner gan anwybyddu Lefi a bystachodd hithau i agor caead y jwg. Ond roedd e wedi'i gau'n dynn a'i selio gan haen galed o fwd.

'Dyw e ddim yn shiffto,' meddai gan geisio pigo'r mwd o'r jwg.

'Beth ti'n moyn yw bachan â mysls, meddai Sbaner, 'felly dere â hi i fi.'

Ond doedd Sbaner ddim y gallu agor y caead chwaith.

'Beth oedd hynna am fysls?' gofynnodd Meg.

'O ha ha!'

'Tria di agor y caead, Lefi,' meddai Meg.

'Na!'

'Dere 'mlaen! Dyw Sbaner na fi ddim yn ddigon cryf!'

'Sdim diddordeb 'da fi mewn darganfod beth sy yn y jwg!'

'Wel ni'n moyn gwybod! Felly dere 'mlaen!' mynnodd Meg.

'O, dere â hi 'ma 'te!' Cipiodd Lefi'r jwg oddi ar Sbaner ac wrth iddo wneud hynny, cwympodd i'r llawr.

'Leeefi!' llefodd Sbaner a Meg wrth i'r jwg fwrw'r ddaear.

Crac!

Chwalodd ei gwddf yn rhacs.

Llifodd pentwr o geiniogau ohoni.

Rhythodd pawb arnyn nhw'n syn.

'Ym . . . Y'ch chi ddim yn meddwl mai arian Darren Drygs yw hwnna, y'ch chi?' hanner sibrydodd Sbaner.

'Beth? Paid â siarad dwli!' wfftiodd Lefi. 'Am arian papur ry'n ni'n chwilio! Miloedd ar filoedd o bunnoedd! Dim hen geinioge fel rhain.' Cododd un o'r darnau arian a gweld nad ceiniog oedd hi. Roedd y darn yn debycach i bishyn punt, yn ddwl a dieithr.

'Welais i erioed arian fel hyn o'r blaen,' meddai Meg, wrth iddi hi a Sbaner fyseddu rhai o'r darnau eraill. 'A beth y'n nhw?'

'Sai'n siŵr,' atebodd Sbaner. 'Ond dy'n nhw i gyd ddim yr un peth. Co! Mae rhai'n fwy na'i gilydd. A maen eu lliw nhw'n wahanol. A 'drychwch, mae llun pen rhyw foi ar bob un ohonyn nhw a sgrifen o'i gwmpas . . .'

'Pwy yw e?' gofynnodd Meg gan astudio wyneb y dyn barfog â'r trwyn mawr.

'Rhyw fath o frenin falle?' cynigiodd Lefi cyn iddo gael syniad. 'A chi ddim yn meddwl . . . wel, ym . . . chi ddim yn meddwl falle fod yr arian 'ma'n werth rhywbeth, y'ch chi? Gan ei fod e'n hen?'

'Falle wir!' meddai Meg. ''Drycha ar y we, Lefi!'

Tynnodd Lefi ei ffôn symudol o'i boced wrth i ddau ffigwr llechwraidd gripian o'r goedwig tuag atyn nhw.

Keira a Tal.

11

Roedd sgrin ffôn symudol Lefi'n llawn lluniau o hen ddarnau arian.

'Oes unrhyw lun yn matsho'r darnau arian yn y jwg?' holodd Meg.

'Anodd dweud.' Crychodd Lefi ei drwyn. 'Mae 'na ddegau o luniau yma! Sdim syniad 'da fi ble i ddechrau chwilio . . .'

'Am beth yn union chwiliaist ti ar y we?'

'Lluniau o hen ddarnau arian,' meddai Lefi gan syllu ar y sgrin. 'Ond falle dylen i wneud chwiliad mwy manwl. Falle mai teipio "darn arian gyda llun dyn barfog â thrwyn mawr" ddylwn i ei neud?'

'Paid â bod yn wirion! Mae'r rhan fwyaf o frenhinoedd yn bethau barfog â thrwynau mawr! Rhaid i ti fod yn fwy manwl. Ceisia deipio'r sgrifen sydd o gwmpas pen y brenin 'ma i mewn i'r peiriant chwilio i weld beth ddaw. 'C-a-r . . .' dechreuodd Meg sillafu'n uchel, ond roedd hi'n anodd darllen y sgrifen gan ei fod wedi treulio. '. . . a-u-s-i-u-s.'

'O na!' torrodd Lefi ar ei thraws.

'Beth? Ffeindies ti rywbeth?' Ond doedd Lefi ddim yn edrych ar sgrin ei ffôn bellach. Roedd e'n edrych yn syth dros ysgwydd Meg.

'Keira a Tal!'

Trodd Meg a Sbaner a gweld Keira a Tal yn brasgamu tuag atyn nhw, yn ddau dalp o fileindra.

'Rhedwch!' llefodd Lefi gan stwffio'i ffôn i'w boced a chodi'r jwg mewn panig. Ceisiodd Meg stwffio'r darnau arian oedd ar y llawr yn ôl i mewn i'r jwg yn wyllt, a chydiodd Sbaner yn y synhwyrydd metel a'r rhawiau, ond erbyn hynny roedd Keira a Tal ar eu gwarthaf. Culhaodd eu llygaid pan welson nhw fod twll yn y ddaear a bod gan y plant yn union yr un offer â nhw.

'Be sy wedi bod yn mynd 'mlaen yn fan'ma?' cyfarthodd Keira.

'Dim . . .' meddai Lefi, wrth iddo fe, Meg a Sbaner fagio yn eu hôl, 'dim byd o gwbl.'

'Ry'ch chi wedi bod yn cloddio am rywbeth! Beth?'

'Dim!' gwadodd Meg.

'Peidiwch â gwadu'r peth!' meddai Keira, wrth i Tal symud y tu ôl iddyn nhw i'w rhwystro rhag dianc. 'Mae'n amlwg eich bod chi'n chwilio am rywbeth a dwi ishio gwybod be!'

'Wel, ddim am arian Darren Drygs!' meddai Sbaner gan geisio achub eu crwyn, ond yn yr eiliad yna, sylweddolodd Keira a Tal mai dyna'n union beth y buon nhw'n chwilio amdano.

'Sut gwyddoch chi am arian Darren Drygs?' chwyrnodd Keira wrth i Sbaner sylweddoli ei fod e wedi rhoi'i droed ynddi. Trodd i edrych ar Meg a Lefi oedd yn rhythu arno, yn ffaelu credu ei fod wedi bod mor dwp.

'Ydach chi wedi bod yn chwilio yng Nghromlech y Cewri a Phistyll Gloyw hefyd?' hisiodd Tal.

'Naddo!' gwadodd Meg.

'Yn y gollen?'

'Na, *no wei*!' gwadodd Lefi hefyd.

'Dwi ddim yn credu gair mae'r rhain yn ei ddweud!' meddai Tal drwy'i ddannedd. 'Ac mae'n amlwg nad ni ydi'r unig rai sydd wedi bod yn chwilio am y pres, Keira!'

'Co, does dim "pres", os oes rhaid i chi gael gwybod,' meddai Lefi, gan geisio tawelu'r dyfroedd ond gwnaeth hyn bethau'n saith gwaeth. Gwthiodd Keira'i hwyneb i'w wyneb.

'Be ti'n feddwl, does 'na ddim pres?'

'Y . . . wel . . . stori yw hi,' cloffodd Lefi. 'Dyw hi ddim yn wir.'

'Sut ti'n gwybod?'

'Achos bod yna lot o bobl eraill wedi bod yn chwilio dros y blynydde! A sneb erioed wedi darganfod dim byd . . .'

'O! Ddudais i yn do, Keira!' ysgyrnygodd Tal. 'Dwi wedi dweud o'r dechrau mai wast o amsar oedd yr holl beth.'

'Dweud celwydd mae o, Tal!' mynnodd Keira. 'Trio taflu llwch i'n llygaid ni!'

'Croeso i chi chwilio bob tamed o Gaer Rhun,' cynigiodd Lefi a chymylodd wyneb Keira. Fyddai e byth yn gwneud y fath gynnig petai e'n credu bod yr arian wedi'i gladdu yno ac roedd breuddwyd Keira o gael ei bachau brwnt ar y can mil o bunnoedd yn dechrau gwegian. 'Nawr os nad oes ots 'da chi, mae'n rhaid i ni fynd,' ychwanegodd Lefi gan geisio sleifio heibio i Keira. Ond camodd hithau i'w lwybr.

'Ti'n mynd i nunlla, mêt!' meddai. 'Ddim cyn i ti ddangos i ni be ti'n guddio yn fan'na!'

'Dim,' meddai Lefi, gan gydio'n dynn yn y jwg.

'Dydy o ddim yn edrych fel dim i mi! Dangos o – rŵan!'

Doedd gan Lefi ddim dewis ond dangos y jwg iddi ond daliodd ei law dros y caead.

'Wel, am beth hyll!' trodd Keira ei thrwyn.

'Ofnadw. A dyw hi'n ddim byd i'w wneud ag arian Darren Drygs, felly.' Ceisiodd adael unwaith eto a'r tro yma wnaeth Keira ddim sefyll yn ei ffordd. Ond yna saethodd Tal gwestiwn ato.

'Beth sy yn y jwg?'

'Y?'

'Beth sydd *ynddi* hi?' gofynnodd Tal eilwaith. Ddywedodd Lefi na'r ddau arall yr un gair, felly chwipiodd Tal y jwg o'i ddwylo.

'Hei! Dowch â hi 'nôl!' protestiodd Lefi wrth i Tal astudio'r jwg.

'Pres,' meddai Tal yn gegrwth. 'Mae llond hon o bres . . .'

'Be?' Llamodd Keira ato.

'Hen bres,' meddai Meg gan feddwl yn sydyn, 'sy'n werth dim byd, felly gawn ni'r jwg yn ôl, plîs?'

Anwybyddodd Keira hi wrth iddi astudio'r darnau arian. 'Fetia i di fod rhein yn werth ffortiwn, Tal,' meddai, a gwên farus yn lledu dros ei hwyneb.

'Be? Ti'n gwybod be y'n nhw?' gofynnodd yntau.

'Na'dw. Ond ti'n clywed am bobl yn darganfod pethau fel'ma o hyd ac o hyd – ac wedyn yn eu gwerthu nhw am filoedd ar filoedd o bunnoedd! Ac wsti be, dwi'n meddwl y dylen ni anghofio am arian Darren Drygs, rŵan bod ni wedi darganfod hon. Yn enwedig os nad ydi'r arian yn bodoli wedi'r cyfan.'

'Ti'n coelio hynny, mwya sydyn?'

'Fedra i fforddio'i goelio fo rŵan bod ni wedi darganfod y jwg 'ma!'

'*Ni* ddarganfyddodd hi!' torrodd Meg ar ei thraws. Chymrodd Keira na Tal ddim math o sylw ohoni, felly cododd Meg ei llais. '*Ni* bia'r jwg!'

'*Oedd* bia hi!' chwarddodd Keira, a phan sylweddolodd Meg ei bod hi a Tal am ei dwyn hi, ceisiodd ei chipio oddi ar Tal. Ond gwthiodd Keira hi o'r ffordd.

'Allwch chi mo'i dwyn hi!' mynnodd Lefi, gan achub Meg rhag cwympo.

'Na? Gwylia ni!' chwarddodd Tal.

'Awn ni at yr heddlu!' bygythiodd Sbaner. 'A dweud eich bod chi'n dwyn!'

Chwarddodd Tal yn uwch. 'Awê 'ta! Ond wadwn ni'r cyfan a dweud mai ni ffendiodd y jwg! Ac ar ddiwedd y dydd, eich gair chi yn erbyn ein gair ni fydd hi.'

'Dyw hynna ddim yn deg!' llefodd Sbaner.

'Tyff!' chwarddodd Keira cyn troi at Tal. 'Ty'd,' meddai gan gychwyn ar draws y cae. 'Dwi'n meddwl ein bod ni'n dau'n haeddu dathliad bach . . .'

'Dathliad mawr, ia?' meddai Tal. 'A 'da ni'n gadael y twll lle 'ma peth cyntaf bora fory, dallt!'

12

'Trychineb! Dyna beth yw hyn,' meddai Meg dros wydraid o sudd afal yn ei chegin hi a Lefi ddwy awr yn ddiweddarach.

'Trychineb gyda T fawr,' ychwanegodd Sbaner.

''Na beth ddwedoch chi pan ddygodd Keira a Tal ein *den* ni!' Trawodd Lefi ei wydr ar y bwrdd yn grac. 'Mae hyn gan mil gwaeth!'

Roedd yr un o'r tri yn methu credu beth oedd wedi digwydd yng Nghaer Rhun a llenwyd y gegin gan ddistawrwydd dig. Tynnodd Lefi ei ffôn o'i boced a dechrau tapio ar yr allweddell er mwyn syrffio'r we. Yna griddfanodd. 'O na. Dwi newydd ddarganfod pwy yw Carausius. Neu Marcus Aurelius Mausaeus Carausius, o roi'i enw llawn iddo fe. Ymerawdwr Rhufeinig.'

'Felly arian Rhufeinig oedd yn y jwg!' meddai Meg. 'Sy'n gwneud synnwyr, achos dyw Sarn Helen ddim yn bell . . .'

'Bu'r boi farw yn y flwyddyn dau gant naw deg tri oed Crist.'

'Waw!' chwibanodd Sbaner. 'Mae'r arian 'na

yn hen, felly. Do'n i ddim hyd yn oed yn gwybod bod arian wedi'i ddyfeisio bryd hynny!'

'Ro'n i'n iawn i feddwl bod y jwg yn werthfawr 'te,' meddai Meg.

Nodiodd Lefi cyn griddfan yn waeth. 'O na,' meddai. 'Na, na, na. Dwi ddim yn credu'r peth! Mae'n dweud yn fan hyn fod bachan o Frome, Gwlad yr Haf, wedi darganfod jwg o arian o oes Carausius bedair blynedd 'nôl. A ddyfalwch chi byth faint oedd ei gwerth hi?'

'Faint?' gofynnodd Meg a Sbaner gyda'i gilydd.

'Tri chant ac ugain mil o bunnoedd . . .'

'Tri chant ac ugain . . .' tagodd Meg a bu bron i Sbaner lewygu yn y fan a'r lle.

'Oedd ei jwg e'n dipyn mwy na'n un ni, cofiwch,' meddai Lefi gan ddangos ei lun iddyn nhw. 'Ac mae e'n dweud fan hyn fod pum deg dau mil, pum cant a thri o ddarnau arian ynddi hi . . .'

'Doedd dim chwarter cymaint â hynny yn ein jwg ni,' meddai Meg, ei meddwl yn rasio i bob cyfeiriad.

'Sut wyt ti'n gwybod hynny?' gofynnodd Sbaner.

'Mae'n jwg ni'n llawer llai, on'd dyw hi? Ond

hyd yn oed wedyn, gallai fod yn werth miloedd ar filoedd.'

'Ac mae hi yn nwylo Keira a Tal.' Ciciodd Lefi'r bwrdd yn flin. Ro'n nhw'n amau fod y jwg yn werthfawr pan gipiodd Keira a Tal hi, ond roedd cael cadarnhad o hynny'n gwneud iddyn nhw deimlo'n dipyn gwaeth. 'Does ond un peth amdani!' cyhoeddodd Lefi. 'Rhaid i ni gael y jwg 'na 'nôl!'

'Cytuno! Felly beth wnawn ni – mynd at yr heddlu?' cynigiodd Meg.

'Be? Callia!' ebychodd Sbaner. 'Os awn ni at yr heddlu, allwn ni ddim profi taw ni ddaeth o hyd i'r jwg gynta! Ti'n gwybod hynny! Does dim prawf gyda ni!'

'Beth am i ni ddweud wrth ein rhieni 'te?'

'Wyt ti'n gall?' Rhythodd Lefi arni. 'Byddai'n rhaid i ni gyfaddef ein bod ni wedi'i darganfod hi wrth geisio dod o hyd i arian Darren Drygs cyn Keira a Tal! A fydden ni'n cael hanner ein lladd am wneud rhywbeth mor beryglus. Na, os y'n ni'n mynd i wneud hyn, rhaid i ni ei wneud e'n hunain.'

'Sut?' gofynnodd Sbaner. 'Mae Keira a Tal yn gryfach na ni. Os taclwn ni nhw, ni ddaw mas ohoni waetha, yn bendant! Allen ni fynd i'r ysbyty . . . neu waeth! '

'Mae 'da fe bwynt, Lefi,' meddai Meg ac roedd Lefi'n gwybod ei bod hi'n iawn.

'Wel, mae'n rhaid i ni gael y jwg 'na 'nôl rywsut, bydd?' meddai. 'A hynny cyn iddyn nhw adael bore fory. Beth ry'n ni ei angen yw cynllun.'

'Yn gwmws!' meddai'r ddau arall wrth i'r drws cefn gael ei agor yn sydyn. Roedd Morfudd Mathews, mam Sbaner, yn sefyll ar y rhiniog, ei llygaid emrallt yn melltio a dau smotyn o wrid ar ei bochau.

'Beth yw hyn dwi'n ei glywed amdanat ti'n dwyn cwad Ifan?'

Suddodd calon Sbaner. Er mai un fach eiddil oedd ei fam, roedd hi fel corwynt pan roedd hi'n grac. 'Beth petai chi wedi cael damwain? Allet ti fod wedi lladd y tri ohonoch!'

'Ond wnes i ddim, do fe?'

'Paid ti mentro bod yn ewn 'da fi, gwboi!' ffromodd Morfudd Mathews. 'Dwi ddim wedi dy fagu di i fod yn lleidr! Felly gatre, nawr, a dwyt ti ddim yn cael mynd o'r tŷ am wythnos!'

'Beth?' ebychodd Sbaner gan edrych ar Lefi a Meg mewn panig.

'Allwch chi ddim gwneud 'na, Mrs Mathews!' mynnodd Lefi. 'Mae'n *rhaid* i Sbaner ddod mas 'da ni bore fory! Ma' rhywbeth pwysig 'mlaen 'da ni!'

'Sdim ots 'da fi! A fydden i'n cadw Meg a thithe i mewn hefyd, os gallen i! Mae'r tri ohonoch chi wedi bod yn gwbl, gwbl anghyfrifol!' meddai Morfudd Mathews gan gydio yng ngwar Sbaner a'i fartsio drwy'r drws yn flin.

Syllodd Lefi a Meg ar ei gilydd.

Beth oedden nhw'n mynd i'w wneud nawr? Allen nhw ddim taclo Keira a Tal heb Sbaner. Felly byddai'n rhaid iddyn nhw ei gael e mas o'r tŷ, rywsut. Ond sut?

'Beth sy ishe nawr yw brenwêf, Meg,' meddai Lefi. 'A hynny'n fwy nag erioed . . .'

13

'Shhh,' sibrydodd Lefi, wrth iddo glywed sŵn traed Meg yn crensian ar y graean y tu ôl iddo. 'Rhag ofn i Morfudd Mathews ein clywed ni . . .'

'Dwi ddim yn trio gwneud sŵn,' hisiodd Meg.

'Ti fel eliffant!' ceryddodd Lefi wrth i'r ddau droedio ar draws gardd gefn Sbaner ar doriad gwawr y diwrnod canlynol, gan gario ysgol beintio'i tad rhyngddyn nhw. 'Bydd yn fwy gofalus! Achos os cawn ni'n dala, fydd hi wedi canu arnon ni . . .'

'Dwi'n gwybod hynny!' meddai Meg drwy'i dannedd gan geisio gwylio ble roedd hi'n rhoi ei threinyrs, ond doedd hi ddim yn hawdd canolbwyntio, wrth i'r ysgol fynd yn drymach gyda phob cam. O'r diwedd, fe gyrhaeddon nhw'r tŷ a sodro'r ysgol yn erbyn y wal o dan ffenest stafell wely Sbaner.

'Ydy hi'n ddiogel?' gofynnodd Meg.

'Ydy,' sibrydodd Lefi gan wneud yn siŵr fod yr ysgol yn pwyso'n gadarn yn erbyn sil y ffenest.

'Siŵr?'

'Berffaith. Nawr ffendia gerrig mân,' atebodd Lefi a phlygodd y ddau ar eu cwrcwd a dechrau chwilio.

Roedd Sbaner yn cysgu'n drwm o dan ei gwilt Ferrari coch. Roedd e wedi bod ar ddi-hun am y rhan fwyaf o'r noson yn melltithio'i fam am ei wahardd rhag mynd mas am wythnos. Ond roedd Sbaner yn benderfynol nad oedd y gwaharddiad yn mynd i'w rwystro rhag helpu Lefi a Meg i gael y gorau ar y dihirod Keira a Tal. Roedd ei ffrindiau ei angen a doedd Sbaner ddim yn mynd i'w siomi.

Felly roedd e wedi penderfynu sleifio mas y peth cyntaf – gwaharddiad neu beidio. Roedd e'n mynd i gau drws ei stafell wely'n dynn, er mwyn twyllo'i fam a'i chael i feddwl ei fod e'n dal yn ei wely. Roedd e'n gobeithio cipio'r jwg oddi ar Keira a Tal a dod adref cyn i Morfudd Mathews hyd yn oed sylweddoli ei fod wedi mynd mas. Doedd Sbaner ddim wedi gallu tecstio nac ebostio Lefi a Meg i ddweud beth oedd ei fwriad gan fod ei fam wedi mynd a'i ffôn symudol a'i iPad oddi arno fel cosb ychwanegol. Ond roedd e'n bendant fod ei gynllun yn mynd i weithio ac roedd wedi bod yn eistedd yn ei wely ers oriau, yn barod i fynd o'r tŷ. Gwelodd dri, pedwar a phump o'r gloch y bore, ond erbyn chwech roedd e'n chwyrnu.

Yna bwrodd rhywbeth ei ffenest.

Cyffrôdd Sbaner. Ond ddihunodd e ddim. Wedi ennyd, digwyddodd yr un peth eto. Trodd Sbaner ar ei ochr a thorri gwynt. Ond pan fwrodd rhywbeth y ffenest am y trydydd tro, dihunodd gydag ysgytwad. Doedd e ddim yn gwybod beth oedd yn digwydd a baglodd dros waelod ei drowsus pyjamas wrth iddo ruthro i agor ei lenni. Y peth cyntaf a welodd oedd pen ysgol ar sil ei ffenest. Syllodd arni'n syn, cyn agor y ffenest a gwthio'i ben mas. Blinciodd yn ddryslyd pan welodd Lefi a Meg yn sefyll yn yr ardd yn paratoi i daflu carreg arall at y gwydr.

'Ti'n cysgu yn dy het? sibrydodd Lefi pan welodd y *beanie* oren yn sgi-wiff ar ben ei ffrind.

'Y? Beth sy'n mynd 'mlaen?' gofynnodd Sbaner, gan dynnu'r cap yn dynn am ei ben.

'Ry'n ni wedi dod i dy achub di,' meddai Meg mewn llais isel. 'Ges i frenwêf!'

'Doedd dim ishe i chi fynd i ffwdan fel hyn,' atebodd Sbaner. 'Alla i sleifio mas drwy'r drws ffrynt . . .'

'Amhosibl!' atebodd Lefi. 'Achos mae dy fam wedi codi'n barod. Gawson ni gip arni gynne drwy ffenest y lolfa. Alli di ddim mynd mas drwy'r ffrynt heb iddi hi dy weld di. Felly dringa i lawr yr ysgol 'ma, glou! Neu welith yr un o dy draed di Gelli Aur . . .'

Mewn chwinciad, roedd Lefi'n llithro i lawr yr ysgol. Yna cariodd y tri hi'n ôl i sied Denzil Daniels cyn anelu am Gelli Aur yng ngolau llwyd y bore bach.

Wrth i'r tri sleifio lan y bryncyn y tu ôl i'r tyddyn, roedden nhw'n gweddïo na fyddai Keira a Tal eisoes wedi gadael. Doedd y Gogs ddim wedi bod yn godwyr cynnar hyd yn hyn, ond roedd hi'n rhyddhad gweld bod yr hen Saab du ar y clôs pan gyrhaeddon nhw.

'Maen nhw'n dal 'na 'te,' meddai Lefi gydag ochenaid o ryddhad.

'Diolch byth! Reit, sut y'n ni'n mynd i gael y jwg 'nôl?' gofynnodd Sbaner. 'Oes gan unrhyw un syniad? Neu gwell fyth, gynllun?'

'Wrth gwrs,' meddai Meg. 'Fi yw brenhines y brenwêfs, yntefe?'

Nodiodd y ddau arall a winciodd Meg arnyn nhw'n hyderus.

Agorodd Keira y llenni a boddwyd y stafell wely â golau.

'Aaaaw,' ebychodd Tal o waelod ei sach gysgu gan gysgodi ei lygaid rhag y pelydrau. 'Cau'r cyrtans 'na! Gen i goblyn o gur pen!'

'Oes beryg, ar ôl yr holl gwrw wnest ti ei slochian neithiwr!' atebodd Keira gan rowlio'i sach gysgu a'i rhoi o'r neilltu.

'Ti'n un dda am siarad,' chwyrnodd Tal. 'Gest ti fwy na dy siâr o ganiau hefyd!'

'Wel, os dathlu, dathlu'n iawn! Ond gorau po gynta y codwn ni er mwyn i ni gael gadael y twll 'ma. Dwi'n meddwl dylian ni yrru'n syth i'r gogs, cael pris ar y jwg a gwerthu'r cwbl lot. Yna fedrwn ni ddal yr awyren gyntaf i Mecsico . . .'

'Lle cawn ni fwy o gwrw!' chwarddodd Tal.

'A choctels!' Chwarddodd Keira hefyd a thanio sigarét. 'A gawn ni aros mewn gwestai pum seren! Gyda lwc, fydd dim rhaid ni ddod yn agos i Gymru byth eto. Ond wnawn ni ddim byd tra dy fod ti'n pydru yn dy wely, felly cod a dechreua bacio – fedrwn ni adael yn syth ar ôl brecwast wedyn!'

Aeth cur pen Tal yn waeth wrth iddo godi ond doedd dim pwynt cwyno achos roedd Keira eisoes yn taflu dillad i mewn i'w sach gefn ac roedd hi'n disgwyl i Tal wneud yr un fath. Yna mynnodd fod Tal yn cario'u stwff i'r car tra ei bod hithau'n paratoi brecwast. Gwnaeth yntau hynny, heb sylweddoli bod tri phlentyn yn sbio arno o gopa'r bryncyn y tu ôl i'r tŷ. Yna dychwelodd i gladdu'r pwdin gwaed roedd Keira wedi'i ffrio ar y stôf wersylla yn y gegin. Gwthiodd Keira ei phlât o'r neilltu wedi iddi glirio bob tamed oedd arno a gollwng ei chyllell a fforc yn swnllyd ar y bwrdd.

'Reit, awê, ia?' gofynnodd.

'Ti ddim am olchi'r llestri?' holodd Tal.

'Callia! Ddown ni byth yn ôl i'r twll 'ma eto, wnawn ni! Wedyn no wê!' chwarddodd Keira cyn estyn am y jwg arian a rhoi cusan iddi. 'Ac ro'n i'n iawn, yn doeddwn? Roedd hi *yn* werth dod yma, doedd?'

Nodiodd Tal ac wrth iddo ddilyn Keira i lawr coridor y tyddyn a chamu allan i'r haul dechreuodd fwmial canu 'We're in the money' – allan o diwn.

'Tal! Ti fel brân!' chwarddodd Keira.

'Brân gyfoethog, ia!' Yna dechreuodd Tal ganu nerth ei ben ac roedd cysgod gwên ar wep Keira wrth i'r ddau nesáu at y car. Neidiodd y ddau i mewn ond pan drodd Keira i osod y jwg ar y sedd gefn, gwelodd nad oedd lle iddi gan fod Tal wedi llenwi'r sedd â sachau cysgu a gobenyddion, offer tyrchu, cotiau a phob math o rwtsh.

'Be ydi'r anialwch 'ma?'

'Chdi ddudodd wrtha i am bacio'n stwff ni.'

'Y sachau cefn o'n i'n feddwl. Fyddwn ni'm angen gweddill y stwff yma lle rydan ni'n mynd, siŵr!'

'Wel, dwi ddim yn dadbacio rŵan!' atebodd Tal ac wrth iddo danio'r injan, daliodd y tri phlentyn ar gopa'r bryn eu gwynt. Tagodd y car ond gychwynnodd e ddim. Crychodd Tal ei drwyn mewn penbleth. Ceisiodd danio'r injan eto. Ond roedd y car yn dal i wrthod cychwyn. Pan ddigwyddodd am y trydydd tro, gwenodd Lefi a Meg.

'Sbaner, ti'n seren!' sibrydodd Lefi.

'Dwi'n gwybod,' atebodd yntau. 'A dy'n nhw ddim yn mynd i unman . . .'

Doedd dim gobaith caneri o hynny – roedd Sbaner wedi sugno bob tamaid o betrol o danc y Saab i wneud yn siŵr nad oedd e'n mynd i symud modfedd. Syniad Meg oedd e. Roedd Keira neu Tal yn mynd i orfod cerdded i'r pentref i brynu mwy o betrol ac roedd hynny'n mynd i gymryd amser iddyn nhw – a chyfle i Gang Gelli Aur gipio'r jwg yn ôl. Byddai'n haws iddyn nhw gael y gorau ar un o'r dihirod, yn hytrach na'r ddau, er nad oedden nhw'n siŵr iawn pwy oedd yn mynd i orfod cerdded i'r garej. Ond roedd hi'n edrych fel bod Keira a Tal eisoes yn cael dadl ynglŷn â'r diffyg petrol. Roedd y ddau'n bytheirio ac yn chwifio'u breichiau yn y car.

'Fedra i ddim *coelio* dy fod ti wedi anghofio llenwi'r tanc petrol!' rhuodd Keira.

'Ro'n i'n meddwl 'mod i wedi lenwi fo!' mynnodd Tal.

'Nonsens!' bytheiriodd Keira gan bwyntio at y mesurydd ar banel y car. 'Mae o ar y coch! A ti'n medru bod yn gymaint o ben dafad weithiau!'

'Diolch!'

'Mae'n wir!' gwaeddodd Keira wrth iddi gamu o'r car a rhoi clep i'r drws nes bod y Saab yn ysgwyd. 'Wedyn hegla hi i lawr i'r pentra i brynu mwy o betrol!'

'Pam mai fi sy'n gorfod mynd?'

'Achos 'mod i'n deud! Felly dos, cyn i mi dy dagu di!'

'Gobeithio bydd 'na well tempar arnat ti pan ddo' i 'nôl!' meddai Tal.

'Jest *dos*!'

Brasgamodd Tal i lawr y ffordd a rhoddodd Sbaner ochenaid o ryddhad wrth iddo fe, Lefi a Meg ei wylio'n mynd.

'Ieeei!' sibrydodd Sbaner. 'Diolch byth taw Tal sy'n mynd achos fydd hi'n haws i ni gael y gorau ar Keira. Mae hi hanner ei faint e.'

'Ti'n iawn,' meddai Meg, yr un mor falch, wrth wylio Keira'n estyn am y jwg oddi ar sedd gefn y Saab a'i chario'n ofalus yn ôl i mewn i'r tyddyn. Ond yna daeth allan mewn ychydig eiliadau a mynd at y car. Dechreuodd ymbalfalu yn y sedd gefn.

'Beth mae hi'n neud nawr?' gofynnodd Lefi.

'Dim syniad,' atebodd Sbaner cyn i Keira gipio dwy raw fawr o'r car, eu taro dros ei hysgwydd a brasgamu'n ôl am y tŷ.

'Beth mae hi'n moyn â'r rhawiau 'na?' gofynnodd Lefi gan grychu ei dalcen mewn penbleth.

'Ie. Dyw hi ddim yn mynd i ddechrau tyllu'n rhywle, does bosib?' ychwanegodd Sbaner.

'Nag yw,' meddai Meg. Yna gwelwodd wrth iddi roi dau a dau at ei gilydd. 'Dwi'n meddwl mai arfogi ei hun mae hi.'

'Beth?'

'Dyw hi'n amlwg ddim yn teimlo'n ddiogel yn

y tŷ ar ei phen ei hun bach gyda'r jwg, ody hi? Felly mae hi'n ei harfogi ei hun. Ac y'ch chi'n sylweddoli faint o niwed alle hi ei neud i ni â'r rhawie 'na?'

'Beth? Ti'n meddwl y bydde hi'n eu defnyddio nhw i ymosod arno ni?' gofynnodd Lefi.

'Ydw! Alle hi ein hanner lladd ni! A dwi ddim yn meddwl y dylen ni neud hyn . . .'

'Y?' meddai'r ddau arall yn syn.

'Allen ni fynd i'r ysbyty . . . neu'r fynwent, hyd yn oed!'

'O, paid â bod mor ddramatig!' heriodd Lefi. 'Dy'n ni ddim yn gwybod taw 'na pam ma hi'n moyn y rhawie! Ac alli di ddim cael traed oer nawr, ddim ar ôl i ni ddod mor bell.'

'Dwi o ddifri!'

'Ond dy syniad di oedd gwahanu Keira a Tal, fel bod ni'n gallu cipio'r jwg!'

'Ie. Ond beth tase mwy o arfau yn y tŷ?' Llyncodd Meg yn galed. 'Wnes i ddim ystyried hynny.'

'Dwyt ti ddim yn gwybod bod arfau 'na!' dadleuodd Sbaner.

'Dwyt ti ddim yn gwybod bod 'na ddim arfau 'na chwaith! A dwi'n credu falle taw camgymeriad oedd meddwl y gallen ni wneud hyn ar ein pen ein hunain bach. Mae e'n llawer rhy beryglus. A dwi'n credu falle dylen ni ffonio'r heddlu wedi'r cwbl . . .'

'Na!' meddai Lefi a Sbaner fel un.

'Dyna yw'r peth gorau i'w wneud nawr bod arfau 'da hi.'

'Ry'n ni wedi bod trwy hyn! Allwn ni ddim profi mai ni biau'r jwg, a ti'n gwybod hynny!' mynnodd Sbaner.

'Ie, wel, dwi ddim yn ffansio cael fy hanner lladd er 'i mwyn hi.'

'Cer adre 'te!' meddai Lefi'n bwdlyd. 'Babi!'

Daeth siom dros wyneb Meg. 'Dwi ddim yn fabi!' meddai'n amddiffynnol. 'Dwi jest yn trio bod yn gyfrifol! Dwi'n trio eich hachub chi rhag cael dolur difrifol.'

'Wel, dwi'n credu 'i fod e'n werth y risg!' mynnodd Sbaner.

'Dw i ddim . . .'

'Sy'n profi dy fod ti yn fabi, Meg!' meddai Lefi. 'Ac os nag oes digon o gyts 'da ti i neud hyn, fydda i a Sbaner yn well hebddot ti! Yn byddwn, Sbaner?'

'Wel . . . ym . . .' Doedd Sbaner ddim wedi meddwl y byddai hi'n dod i hyn. 'Dwi ddim yn siŵr . . .'

'Fe odw i! Wedyn cer, Meg! Sdim amser i ddadle. Fydd Tal 'nôl cyn hir a dyma ni'n gwastraffu amser prin yn dadlau . . .'

'Fyddech chi wir yn bwrw 'mlaen hebdda i?' gofynnodd Meg mewn llais bach, bach, oedd yn llawn siom.

Nodiodd Lefi. 'Do'n i byth yn meddwl bod gen i chwaer oedd yn gachgi,' meddai.

'Dwi ddim yn gachgi nac yn fabi,' protestiodd Meg, wedi'i brifo i'r byw.

'Wyt!'

'Na'dw!' Dechreuodd llygaid Meg lenwi â dagrau a chododd o'r man ble bu'n gorwedd ar y gwair.

'Lefi, doedd dim ishe hynna . . .' meddai Sbaner.

'Dim ond dweud y gwir o'n i,' atebodd yntau a'r dagrau'n llosgi'i lygaid wrth wylio Meg yn baglu i lawr y bryn.

14

Pa mor HIR fyddi di?

Edrychodd Keira ar y tecst roedd hi newydd ei sgrifennu i Tal cyn gwasgu anfon yn ddiamynedd. Roedd hi'n eistedd wrth ymyl y stôl odro yn y gegin. Roedd hi wedi gosod y jwg ar honno, ac roedd y bin lle dympiodd hi'r ddwy raw gerllaw. Fyddai ddim angen y rhawiau arni hi a Tal, ddim mwy na'r synhwyrydd metel – ddim i ble roedden nhw'n mynd. Roedd Keira ar fin dychwelyd i'r car i nôl hwnnw pan dderbyniodd neges yn ôl gan Tal.

Fedra i ddim cerdded ddim cynt.

Ochneidiodd Keira. Roedd hi'n flin. Roedd Tal yn cymryd hydoedd ac roedd yn gas gan Keira aros – am unrhyw beth. Cododd ac roedd hi ar fin dychwelyd at y car, pan benderfynodd chwilio'r we. Teipiodd *Gwestai pum seren ym Mecsico* i'r peiriant chwilio. O leiaf byddai hynny'n rhoi gwên ar ei gwep. O fewn eiliadau, ymddangosodd rhestr o westai anhygoel ar ei ffôn. Llonnodd wyneb Keira wrth iddi weld pa mor fendigedig roedden nhw. Roedd y rhan fwyaf ohonyn nhw wedi'u lleoli ar draethau aur ble roedd y môr yn las, las. Roedd gan un gwesty ddeuddeg pwll nofio, tra oedd gan y llall bymtheg bar. Dychmygai Keira ei hun yn siglo mewn hamoc dan goeden balmwydd, yn gwylio'r haul yn machlud. Doedd ganddi ddim syniad fod dau blentyn yn sibrwd amdani yng ngardd ffrynt y bwthyn.

'Ti'n siŵr fod hyn yn mynd i weithio, Lefi?' gofynnodd Sbaner wrth i'r ddau blygu ar eu cwrcwd y tu ôl i lwyn rhododendron coch ym mhen pella'r ardd.

'Oes 'da ti syniad gwell?'

'Ym . . . na . . . ond beth os oedd Meg yn iawn? Beth os wnaiff Keira ymosod arnom ni â'r rhaw?'

'Dyw rhaw'n fawr o arf.'

'Welais i ffilm unwaith pan gafodd pen rhywun 'i hollti â rhaw. Ffrwydrodd y gwaed i bobman. Ac wyt ti'n cofio Meg yn sôn am y ffilm 'na welodd hi pan gafodd y bobl 'na eu claddu yn yr ardd? Beth tase hynny'n digwydd i ni?'

'Paid â bod yn sofft!'

'Alle Keira daflu'n cyrff ni i'r tyllau 'na mae hi a Tal wedi'u cloddio . . .'

'Stopia godi bwganod, Sbaner! Sneb yn mynd i gael 'u lladd, iawn?'

'Dyw Keira ddim yn mynd i adael i'r jwg 'na fynd heb ffeit . . .'

'Fydd hi ddim yn gwybod bod y jwg wedi mynd os gwnei di beth drefnon ni – ddim yn syth, o leia. Bydd hynny'n rhoi cyfle i ni ddianc, yn bydd?' meddai Lefi gan edrych yn syth i lygaid Sbaner.

'Bydd, ti'n iawn,' meddai Sbaner gan gymryd anadl ddofn. 'Sori, nerfe sy'n siarad . . .'

'Os dilynwn ni'r cynllun, bydd popeth yn iawn,' mynnodd Lefi. 'Nawr dwi'n mynd i'm safle.'

Nodiodd Sbaner a chymryd ennyd i feddwl. 'Pob lwc, Lef,' meddai cyn sleifio i gefn y bwthyn.

'Pob lwc i ti hefyd, mêt.'

'Ffantastic!' Roedd llygaid Keira'n pefrio wrth iddi syllu ar sgrin ei ffôn. Roedd hi newydd edrych i weld a oedd stafelloedd ar gael yn y gwesty â'r deuddeg pwll nofio o'r wythnos nesaf ymlaen, ac wedi cael neges yn dweud ei bod hi'n bosibl bwcio lle i aros yno am fisoedd ar y tro. Roedd Keira wedi gwirioni ond wrth iddi ddechrau edrych am brisiau awyrennau, clywodd glec ddwl ar y drws ffrynt.

Cododd Keira ei phen. Clustfeinodd.

Ond doedd dim siw na miw. Meddyliodd Keira mai dychmygu'r sŵn wnaeth hi ac aeth yn ôl i bori gwefan British Airways. Ond yna, clywodd glec arall. Roedd Keira'n gwybod nad dychmygu roedd hi'r tro yma ac wrth iddi brysuro i lawr coridor llaith y bwthyn, clywodd drydedd glec. Crynodd y drws ffrynt a stopiodd Keira'n stond. Chwalodd ias drwyddi. Doedd hi ddim yn mynd i agor y drws, ddim heb wybod beth oedd yr ochr arall iddo. Felly sleifiodd i'r stafell ymolchi a chraffu drwy'r ffenest. Doedd dim golwg o neb yn yr ardd.

Er hynny, roedd Keira'n gallu gweld bod cerrig yr un maint â dwrn yn pupro'r llwybr o flaen rhiniog y drws ffrynt. Crychodd Keira ei thalcen mewn penbleth wrth i garreg arall hedfan drwy'r awyr a bwrw'r drws â chlatsh. Roedd rhywun wedi'i thaflu, ond doedd Keira ddim yn gallu gweld pwy! A doedd hi ddim yn gwybod pam. Cododd hyn ei gwrychyn a martsiodd am y drws ffrynt. Agorodd hwnnw led y pen ac wrth iddi wneud, gwibiodd carreg arall o fewn milimetr i'w chlust a glanio'n swnllyd ar deils y coridor. Fflamiodd tymer Keira.

'Hoi, pwy sy 'na?' bloeddiodd gan frasgamu dros y rhiniog.

Distawrwydd llethol.

'Dwi'n gwybod bod 'na rywun yna, felly dewch yma ar unwaith!'

Dim byd.

'Reit, os bydd rhaid i mi ddod i chwilio am pwy bynnag sy 'na, fydd na goblyn o le! Dallt?'

Y tu ôl i'r llwyn rhododendron, roedd Sbaner yn crynu yn ei sgidiau. Fe fu'n taflu cerrig at y drws ffrynt er mwyn tynnu sylw Keira a'i denu o'r tŷ. Roedd yn rhaid iddo'i chadw y tu fas am cyn hired â phosibl hefyd, er mwyn rhoi cyfle i Lefi sleifio i mewn drwy ffenest y gegin gefn, dwyn y jwg, a dianc heb i Keira fod damed callach. Ond nawr roedd Keira'n cerdded i lawr llwybr yr ardd, yn bygwth dod o hyd i guddfan Sbaner, ac roedd Sbaner yn ofni nad oedd Lefi wedi cael digon o amser i fachu'r jwg. Doedd dim ond un peth amdani. Roedd e'n mynd i orfod cadw Keira yn yr ardd ffrynt am amser hirach. Felly cydiodd mewn carreg arall a'i hyrddio mor bell o'i guddfan â phosibl. Clywodd Keira'r garreg yn glanio yn y llwyn mwyar duon i'r dde iddi, felly dechreuodd gerdded i'r cyfeiriad hwnnw.

Ond er iddi edrych yn y llwyn, doedd hi ddim yn gallu gweld neb. Yna hyrddiodd Sbaner garreg i'r llwyn i'r chwith iddi, a throdd Keira a dechrau cerdded i'r cyfeiriad hwnnw. Gwenodd Sbaner o weld ei fod e wedi'i drysu a'i thaflu oddi ar drywydd y bechgyn, ac roedd e ar fin taflu carreg arall, pan ddaeth sŵn trybowndian o'r tŷ.

Rhewodd Sbaner.

Yna cyn iddo wybod beth oedd yn digwydd, roedd Keira'n melltio yn ôl am y tyddyn fel cath i gythraul. Hedfanodd dros y rhiniog, sgrialu i lawr y coridor, a rhuthro i'r gegin.

Bu bron iddi gael trawiad.

Doedd y jwg ddim ar y stôl odro!

Ac roedd cysgod yn diflannu drwy'r ffenest. 'Oiiiii!' sgrechiodd.

Roedd calon Lefi'n dyrnu wrth iddo lanio tu fas yn yr ardd gefn. Doedd e ddim yn gallu credu ei fod wedi bwrw'r stôl odro drosodd wrth iddo'i defnyddio i ddringo'n ôl drwy'r ffenest wedi iddo ddwyn y jwg! Ond mwya'r brys, mwya'r rhwystr! Roedd Lefi'n flin fel tincer am fod mor flêr ac roedd e'n gwybod yn iawn y byddai wedi canu arno petai Keira'n ei ddal! Dechreuodd redeg drwy'r ardd gefn fel petai haid o gŵn ffyrnig ar ei ôl.

Yn y gegin roedd Keira mewn panig. Roedd hi'n rhy fawr i ddringo drwy'r ffenest ar ôl y lleidr, felly rhuthrodd i'r drws cefn a cheisio'i agor! Ond roedd hi'n cael ffwdan i droi'r allwedd yn y clo gan fod ei dwylo'n crynu gan dymer. Roedd pob eiliad yn cyfri ac roedd yn rhaid – *rhaid* – iddi ddal y lleidr neu mi fyddai hi cyn dloted â llygoden eglwys unwaith eto!

O'r diwedd, llwyddodd i agor y drws a gweld bod y lleidr hanner ffordd i fyny'r ardd.

'Oi, tyrd yma'r sinach!' bloeddiodd cyn sylweddoli pwy oedd e. Lefi! Roedd y bwbach bach yn dwyn y jwg! Aeth Keira'n wyllt gacwn ac mewn eiliad, roedd hi'n gwibio ar ei ôl. 'Tyrd yn ôl i fan'ma, rŵan!'

Roedd y gwaed yn pwmpio yng nghlustiau Lefi ac roedd ei ysgyfaint yn llosgi, ond cariodd ymlaen i redeg am y wal ym mhen pella'r ardd. Cymrodd gip dros ei ysgwydd a gweld bod Keira'n dod yn nes – a hynny'n glou! Roedd ei llygaid ar dân a'i hwyneb yn ddu gan dymer. Ond roedd y jwg yn drwm – yn drwm iawn. Doedd Lefi ddim yn gallu rhedeg cyn gyflymed ag yr hoffai ond roedd yn rhaid iddo gyrraedd y wal, doed a ddelo. Petai e'n llwyddo i ddringo drosti, efallai – *efallai* – y gallai gael y gorau ar

Keira a dianc. Roedd y wal yn dod yn nes ac yn nes ac roedd e ar fin ei chyrraedd pan deimlodd law oer yn cydio yn ei ysgwydd fel feis.

'Tyrd â'r jwg 'na i fi!' Ymbalfalodd Keira amdano ond saethodd Lefi o'i chrafangau a chario ymlaen i redeg. Rhegodd Keira. Ond yn ei flaen yr aeth Lefi, yn gynt ac yn gynt.

'Dwi eisio'r jwg! Tyrd â hi yma, y sglyfath!' bloeddiodd Keira.

Y peth nesaf, teimlodd Lefi ddwy fraich yn clymu am ei goesau a chafodd ei daclo i'r llawr. Glaniodd ar ei ochr, ond llwyddodd i ddal y jwg yn yr awyr.

'Gymra i honna 'nôl, diolch!' Cipiodd Keira'r jwg ond doedd Lefi ddim yn mynd i'w cholli hi eto, felly brwydrodd amdani.

'Chi'n gwybod yn iawn taw *ni* sy bia hi!' bloeddiodd.

'Go brin, 'ngwas i!' poerodd Keira gan wthio Lefi yn ei ôl ond fel roedd hi'n codi'i dwrn i'w fwrw, teimlodd law yn cydio yn ei garddwn ac yn ei phlycio yn ôl. Glaniodd ar ei chefn ar lawr. Trodd a gweld Sbaner yn sefyll drosti! Roedd e wedi rhuthro o'r ardd ffrynt i achub Lefi a bachodd y jwg o ddwylo Keira'n glou.

'Cod, Lefi! Cod!' gwaeddodd.

Cododd Lefi, ond cododd Keira'n gynt, a reslo Sbaner am y jwg. Palodd Lefi i mewn i'r sgarmes ac roedd dyrnau, breichiau, traed a choesau'n chwyrlïo. Yna daeth rhu o waelod yr ardd wrth i Tal ddod 'nôl o'r garej. 'Stooopiwch!'

Gollyngodd Tal y can petrol cyn rhuthro at Sbaner a'i hyrddio drwy'r awyr. Glaniodd yntau'n swp ym môn y wal gerrig, ar yr union eiliad y teimlodd Lefi ddwrn Tal yn taro'i drwyn. Saethodd poen drwy benglog Lefi. Ffrwydrodd gwaed o'i drwyn. Simsanodd a gollwng y jwg. Glaniodd hithau ar lawr gyda chlonc. Deifiodd Keira amdani, gan ddisgwyl i'r jwg chwalu'n dipiau, ond rhywsut dorrodd hi ddim, er bod crac tenau wedi ymddangos yn ei chanol.

Yn hytrach na diolch i Tal am ei hachub, arthiodd Keira arno. 'Lle goblyn ti wedi bod?'

'Diolch, Tal, am fy helpu i sortio'r cnafon 'ma,' meddai yntau'n goeglyd.

'Faswn i wedi'u sortio nhw fy hun!' atebodd Keira.

'Go brin!'

'Byswn!'

Cododd Tal ael amheus, gan dynnu blewyn o drwyn Keira.

'Yli, dwi ddim eisio wastio amsar yn dadlau

efo chdi, Tal! Dwi jest eisio mynd o 'ma cynta medra i! Gest ti betrol?'

'Do.'

'Ti wedi llenwi'r tanc?'

'Naddo. Ddois i dy achub di'r munud clywais i'r sgrechian!'

'Wel, llenwa fo rŵan 'ta, reit handi,' meddai Keira gan gychwyn cerdded am y car.

'Hei, be ydan ni'n mynd i neud efo'r ddau lembo 'ma?' gofynnodd Tal gan bwyntio at Lefi a Sbaner oedd yn gorwedd yn ddau swp truenus ym môn y clawdd.

'Dim. Wnawn nhw ddim creu traffarth i ni rŵan, na wnawn? Yli'r golwg arnyn nhw,' meddai Keira.

'Ti'n iawn,' cytunodd Tal gan ddilyn Keira a gadael Lefi'n ceisio stopio'r gwaed rhag llifo o'i drwyn, tra oedd Sbaner yn anwesu ei ochr.

'Ti'n iawn, Sban?' sibrydodd Lefi.

'Na. Dwi'n meddwl falle 'mod i wedi cracio asen. Beth amdanat ti? Ti'n ocê?'

'Beth yw hynna? Jôc?'

'Sori, cwestiwn dwl,' meddai Sbaner gan weld bod y gwaed yn dechrau caledu ar ên Lefi erbyn hyn. 'Ti'n edrych yn erchyll.'

'Dwi'n teimlo'n erchyll,' dywedodd Lefi cyn i'r ddau glywed sŵn injian car yn tanio o flaen y tŷ. Yna wedi eiliad, dyma nhw'n gweld y Saab yn cychwyn ar ei thaith ar hyd ffordd fechan Gelli Aur mewn cwmwl o fwg a sgrechian teiars.

15

Roedd Meg yn benisel iawn wrth iddi fynd am Gil Caron. Roedd hi wedi cwmpo mas ganwaith gyda Lefi, ond alwodd e erioed mohoni'n fabi o'r blaen, a bu'n saeth i'w chalon. Roedd e'n brifo bod ei brawd mawr yn meddwl cyn lleied ohoni, a doedd Sbaner ddim gwell. Doedd Meg byth wedi cwympo mas gydag e o'r blaen chwaith, ac roedd y ffrae yn newid popeth – gallai Gang Gelli Aur gael eu chwalu o'i herwydd, achos unwaith roedd geiriau brwnt yn cael eu dweud, roedd hi'n anodd eu tynnu'n ôl, ac roedd maddau'n anoddach fyth.

Ond er bod Meg wedi cael ei brifo i'r byw, roedd hi'n dal i boeni ei henaid am y bechgyn. Roedd Keira'n fenyw galed, greulon, ac roedd Meg yn ofni y gallai ymosod ar Lefi a Sbaner petai hi'n eu dal yn ceisio dwyn y jwg. Felly roedd hi'n mynd i ddweud popeth wrth ei mam a'i thad ar ôl iddi gyrraedd adref. Beryg byddai Lefi a Sbaner yn ei chasáu hi'n fwy fyth am wneud hynny, ond petai hynny'n achub eu crwyn, roedd Meg yn barod i fentro.

Prysurodd ei cham ac wrth i luniau gwaedlyd o Lefi a Sbaner yn cael eu colbio rasio drwy ei dychymyg, clywodd sŵn sgrechian teiars. Trodd Meg a gweld Saab du yn sgrialu i lawr yr allt yn y pellter wrth iddo yrru'n wyllt ar hyd ffordd fach ddeiliog Cil Caron.

Rhewodd.

Os oedd y Saab yn gadael Gelli Aur, mae'n rhaid bod Keira a Tal wedi llwyddo i gael y gorau ar Lefi a Sbaner. Fydden nhw *byth* yn gadael heb y jwg a phetai Lefi a Sbaner wedi llwyddo i'w dwyn, byddai Keira a Tal yn chwilio amdani. Ond doedd hi ddim yn edrych fel eu bod nhw'n chwilio am ddim byd. Roedd hi'n edrych fel eu bod nhw'n ceisio dianc o Gelli Aur cyn gynted â phosibl. Aeth ias o ofn a phanig drwy gorff Meg – panig poeth, chwyslyd, a phanig aeth yn waeth pan dderbyniodd decst gan Lefi.

Ti oedd yn iawn.

Rhythodd Meg ar y geiriau.

Mae'n rhaid bod Keira wedi ymosod arnyn nhw!

Rhaid ei bod hi wedi'u bwrw nhw'n ddidrugaredd â rhaw! Simsanodd Meg ac roedd hi ar fin ffonio Lefi i weld beth oedd wedi digwydd pan sylweddolodd nad oedd ganddi amser i wneud hynny. Roedd y Saab du yn rhuo i lawr y ffordd ac os nad oedd hi'n mynd i'w stopio, roedd Keira a Tal yn mynd i ddiflannu am byth, heb dalu am beth roedden nhw wedi'i wneud! Doedd Meg ddim yn mynd i adael i hynny ddigwydd. Dim peryg!

Ystyriodd neidio i ganol y ffordd a gorfodi'r car i frecio, ond roedd arni ofn y byddai'n gyrru'n syth drosti. Edrychodd o'i chwmpas yn wyllt i weld a oedd hi'n bosibl rhoi rhywbeth ar draws y ffordd i'w rwystro rhag mynd yn ei flaen. Boncyff? Brigau? Pyst ffens? Ond doedd dim o werth yn unman. Roedd y car yn dod yn nes ac yn nes ac roedd e'n mynd i wibio heibio i Meg os na wnâi hi rywbeth – glou! Yna gwelodd grât o boteli llaeth yng ngheg llidiart Fferm Fforest Felen a chael brenwêf mwya'i bywyd!

Carlamodd Meg at y giât, cydio'n y crât a'i hyrddio i ganol y ffordd. Chwalodd y poteli'n gyrbibion ar hyd y tarmac ac wrth i lyn o laeth lifo dros lwyd y tarmac, lluchiodd Meg ei hun y tu ôl i'r wal, gan weddïo nad oedd Keira a Tal wedi'i gweld. Doedden nhw ddim, ac o fewn chwinciad, roedden nhw'n taranu heibio fel y gwynt.

Daliodd Meg ei hanadl.

Roedd hi'n disgwyl i'r Saab stopio'n stond wrth yrru dros y gwydr – ond wnaeth e ddim!

Cododd Meg ei phen uwch y wal a gweld ei fod e'n dal i wibio i lawr y ffordd.

Suddodd ei chalon.

Doedd ei chynllun ddim wedi gweithio.

Yna clywodd glec, a dechreuodd y Saab siglo o un ochr i'r llall. Roedd y teiars wedi chwythu – o'r diwedd! Crynodd y car. Sgidiodd. Llithrodd ar draws y ffordd, a glanio ar ei ochr yn y wal.

Y tu mewn i'r Saab, roedd Keira'n gweld sêr. Roedd hi wedi bwrw'i phen yn y ffenest wrth i'r car daro'r wal, ac roedd lwmp fel wy ar ei thalcen.

'Be haru chdi, yn dreifio mewn i'r wal?' gofynnodd yn floesg.

'Wnes i ddim trio, naddo,' meddai Tal. 'Dwn i'm be ddigwyddodd! A 'drycha! Mwg!'

'Y?'

'Mwg!' Roedd bonet y car fel consertina a phwyntiodd Tal at bluen o fwg gwyn yn codi oddi tano. 'Allan, Keira, rŵan! Cyn i'r car fynd ar dân!'

Mewn eiliad, roedd y ddau'n crafangu allan o'r Saab, a dyna pryd y gwelson nhw fod teiars y car yn rhacs.

'Dwi ddim yn dallt!' rhythodd Keira arnyn nhw'n syn. 'Sut digwyddodd hynna?'

'Dim syniad!' atebodd Tal. 'Ond mae'n egluro pam gollais i reolaeth o'r car, dydi? Rhaid 'mod i wedi dreifio dros rywbeth . . .'

'Ond beth?' gofynnodd Keira wrth i'r ddau ddechrau edrych o'u cwmpas yn wyllt.

Y tu ôl i'r wal, roedd Meg yn crynu gan ofn. Roedd hi wedi llwyddo i stopio'r Saab ond doedd ganddi ddim syniad beth roedd hi'n mynd i'w wneud nesaf. Roedd arni ofn wynebu Keira a Tal ar ei phen ei hun bach, rhag ofn iddyn nhw ymosod arni hi, fel roedden nhw wedi ymosod ar y bechgyn. Roedd arni ofn y bydden nhw'n dod o hyd iddi'n cuddio y tu ôl i'r wal ac yn sylweddoli mai hi oedd wedi troi'r Saab oddi ar y ffordd. Doedd gan Meg ddim syniad beth i'w wneud nesaf. Roedd ei chalon yn curo fel gordd. Yna meddyliodd ei bod yn clywed seiren heddlu yn y pellter. Crychodd Meg ei thalcen. Oedd hi'n clywed pethau? Clustfeiniodd. Ond doedd hi ddim – roedd hi yn clywed sŵn seiren! Ac roedd y seiren yn dod yn nes ac yn nes.

Cododd Meg ei phen uwch y wal a dyna pryd y gwelodd hi gar heddlu yn llenwi'r ffordd ac yn gyrru'n gyflym i gyfeiriad y Saab.

'Diolch i'r nef!' mwmialodd Meg cyn llamu i'r ffordd a dechrau chwifio'i breichiau a gweiddi fel gwallgofddyn i dynnu sylw'r heddlu.

Safai Keira a Tal yn yr unfan fel dau gerflun. Roedd car heddlu yn gwibio tuag atyn nhw o un cyfeiriad, ac roedd Meg yn rhedeg nerth ei thraed tuag atyn nhw o'r cyfeiriad arall. Doedd gyda nhw ddim syniad beth oedd yn digwydd a'r cwbl allen nhw ei glywed oedd Meg yn gweiddi wrth i'r car heddlu sgrialu i stop.

'Help! Plîs, plîs, help! Mae'r ddau 'ma wedi ymosod ar fy mrawd a'n ffrind i! Ac maen nhw wedi dwyn jwg yn llawn arian Rhufeinig oddi arnon ni 'fyd!'

'Ife chwaer Lefi Daniels y'ch chi?' gofynnodd plismones ifanc, wrth iddi gamu o'r car a rhoi ei het am ei phen.

'Ie! Sut gwyddoch chi?' gofynnodd Meg yn syn.

'Achos mae e newydd ein ffonio ni i ddweud yn gwmws yr un peth . . .'

Llifodd ton o ryddhad dros Meg wrth iddi sylweddoli bod y bechgyn wedi cymryd ei chyngor wedi'r cwbl.

'Ydy e'n wir?' gofynnodd y blismones gan droi at Keira a Tal.

'As if!' bytheiriodd Keira. 'Maen nhw'n dweud clwydda!'

'Clwydda noeth!' ychwanegodd Tal. 'Dydan ni ddim wedi ymosod ar neb a dydyn ni'n gwybod dim byd am unrhyw jwg, nag ydan Keira?'

'Beth yw hwn 'te?' gofynnodd y plismon arall oedd newydd weld y jwg ar sedd gefn y Saab wrth iddo archwilio'r mwg oedd yn codi o'r bonet.

'Wel . . . ym . . .' meddai Tal gan edrych ar Keira mewn dychryn wrth iddo sylweddoli ei fod wedi gadael y gath o'r cwd. Petai wedi glynu at y stori mai ef a Keira oedd wedi darganfod y jwg, efallai na fyddai'r heddlu'n edrych arno mor amheus.

'Penci . . .' hisiodd Keira wrth i Lefi a Sbaner ddod i'r golwg ar ben y ffordd yn hanner cerdded, hanner llusgo tuag atyn nhw.

Dychrynodd Meg o'u gweld.

Roedd gên a chrys-T Lefi'n frown gan waed sych ac roedd Sbaner yn welw ac yn dal ei asen mewn poen wrth iddo geisio cerdded.

'Bois, ydych chi'n iawn?' gofynnodd Meg yn gonsérn i gyd, wrth iddi redeg i'w cyfarfod.

'Ydyn, nawr bod yr heddlu wedi dala'r ddau 'ma,' meddai Lefi.

'Nage ni ddaliodd nhw,' eglurodd y blismones. 'Roedd y car wedi taro'r wal erbyn i ni gyrraedd yma.'

'Fi sydd ar fai am hynny,' cyfaddefodd Meg. 'Fi daflodd wydr i'r hewl i'w stopio nhw rhag dianc . . .'

'Be? Chdi chwythodd y teiars?' chwyrnodd Keira gan gymryd cam bygythiol i gyfeiriad Meg. 'Wel, y gnawas fach . . .'

'Peidiwch â mynd yn agos ati,' gorchmynnodd y blismones gan gamu o flaen Meg i'w hamddiffyn.

'Ti stopiodd y car?' rhythodd Lefi ar Meg yn syn.

'Doedd gen i ddim dewis wedi i mi gael dy decst di,' meddai Meg. 'Roedden nhw wedi'ch bwrw chi â rhaw!'

'Aethon nhw ddim cyn belled â hynny,' dywedodd Lefi.

'E?' Torrodd Meg ar ei draws. 'Ond roedd dy decst di'n dweud "Ti oedd yn iawn" . . .'

'Ie, ti oedd yn iawn am ffonio'r heddlu, dyna roeddwn i'n ei feddwl,' eglurodd Lefi.

'Felly wnaethon nhw ddim ymosod arnoch chi â rhaw?' gofynnodd Meg, ar goll.

'Na, ond wnaethon nhw ymosod arno ni â'u dyrnau,' dywedodd Sbaner.

'Fedrwch chi'm profi hynny!' torrodd Tal ar ei draws.

'Na?' heriodd Lefi.

'Na!'

'Beth yw'r gwaed 'na ar lawes eich hwdi chi, 'te?'

Edrychodd Tal i lawr a gweld bod diferion o waed wedi staenio'i lawes yn frown. 'Wel . . . ym . . .'

'Ei gael o yn y ddamwain car wnaeth e!' Ceisiodd Keira achub croen Tal.

'Ac mae'n siŵr mai yn y ddamwain gawsoch chi'r gwaed 'na sydd ar eich crys-T chi hefyd, ife?' heriodd Lefi.

'Ia!'

'Wedyn petai'r heddlu'n gwneud profion ar y gwaed 'na, fydden nhw ddim yn gallu profi mai 'ngwaed i a Sbaner yw e?'

'Na fydden . . . amhosib . . .' atebodd Keira ond roedd hi'n amlwg i bawb ei bod hi'n rhaffu celwydd a gwelwodd wrth i'r blismones roi'r gefynnau am ei harddyrnau'n frysiog. Cafodd Tal yr un driniaeth, a ffoniodd yr plismon y frigad dân er mwyn trefnu tynnu'r Saab o'r wal.

Roedd llygaid Meg yn dawnsio wrth iddi wylio Keira a Tal yn cael eu harestio, ond roedd llygaid Lefi a Sbaner arni hi.

'Alla i ddim credu dy fod ti wedi llwyddo i'w stopio nhw rhag dianc,' meddai Lefi, yn llawn edmygedd.

'Dim yn ddrwg – i fabi, e?' atebodd Meg.

'Ti ddim yn fabi, siŵr!'

'Na'gw i?'

'Nag wyt! Ti'n seren,' meddai Sbaner. 'On'd dyw hi, Lefi?'

Nodiodd Lefi a rhoi gwên enfawr i'w chwaer fach.

16

Roedd Lefi, Meg a Sbaner yn gyffro i gyd wrth iddyn nhw sefyll yng nghefn llwyfan stiwdio *Mis Crwn Cyfan*. Rhaglen gylchgrawn oedd hon gâi ei darlledu'n fyw unwaith y mis o stiwdio yn Abertawe ac roedd hi'n rhoi sylw i'r straeon difyrraf fu yn y newyddion y mis hwnnw. Ers i hanes darganfod y jwg fynd ar led, roedd wynebau Meg, Sbaner a Lefi yn drwch dros gloriau sawl papur a chylchgrawn ac roedd hanes 'Cloddwyr Cil Caron' i'w ddarllen ar y we. Cafodd y ffrindiau wahoddiad i ddweud eu hanes ar *Mis Crwn Cyfan* o ganlyniad i'r holl sylw, ac er eu bod nhw bron â thorri eu boliau eisiau bod ar y teledu, roedd y tri'n nerfus.

Toddai'r colur gawson nhw yn y stafell golur dan wres lampau'r stiwdio boeth, ac roedd y rheolwr llawr wedi'u rhybuddio rhag baglu dros y gwifrau du oedd yn nadreddu o dan draed. Disgwyliau'r tri i gael eu harwain at y soffa binc yng nghanol y stiwdio er mwyn iddyn nhw gael eu holi gan Tanwen Ebenezer. Roedd Tanwen wrthi'n gorffen cyf-weld bachgen oedd wedi gweld UFO uwch Pont Menai, pan sibrydodd y rheolwr llawr fod angen i Meg, Sbaner a Lefi fod yn barod i fynd at y soffa yn ystod y toriad. Pan ddaeth hwnnw, cafodd y tri eu gwthio'n frysiog i'r stiwdio wrth i'r dynion camera a sain symud eu hoffer ar gyfer ail hanner y rhaglen. Sibrydodd Tanwen nad oedd angen iddyn nhw fod yn nerfus, ac yna croesawodd Gymru gyfan yn ôl i'r stiwdio ar gyfer rhan nesaf y rhaglen. Mewn chwinciad, roedd hi wedi'u cyflwyno i'r gwylwyr ac wedi dechrau eu holi sut yn union ddarganfyddon nhw jwg yn llawn o arian Rhufeinig uwch Cil Caron – un o'r darganfyddiadau archeolegol difyrraf yng Nghymru ers degawdau.

'Nawr, mae un o brif arbenigwyr Cymru ar hanes y Rhufeiniaid, Dr Gerald Jellycote, wedi cadarnhau bod y jwg yn dyddio yn ôl i'r cyfnod rhwng 286 a 293 oed Crist, on'd yw e?' holodd Tanwen yn ei llais triog.

'Ydy, cyfnod yr Ymerawdwr Carausius. Mae'r jwg a'r arian yn hen iawn, iawn,' meddai Lefi'n falch.

'Ond nid chwilio am rywbeth o'r cyfnod Rhufeinig oeddech chi pan aethoch chi mas gyda'ch synhwyrydd metel, ife?' holodd Tanwen ymhellach.

'Nage.' Cafodd Meg ei phig i mewn. 'Ro'n ni wedi clywed stori fod arian o gyfnod Operation Julie wedi'i gladdu yn rhywle yn y cyffinie a cheisio dod o hyd i hwnnw roedden ni.'

'Rhag ofn fod y gwylwyr adref ddim yn gyfarwydd ag Operation Julie, wnewch chi egluro beth yn gwmws oedd e?' Cyfeiriodd Tanwen y cwestiwn at Sbaner, gan roi cyfle iddo yntau ddweud ei bwt.

'Wel, roedd un o ffatrïoedd cyffuriau anghyfreithlon mwya'r byd yn Nhregaron ar un adeg. Ac er bod y dihirod wedi cael eu dal a'u carcharu yng nghyrch enwog Operation Julie, roedd sôn bod un ohonyn nhw wedi claddu'r arian wnaeth e o'r cyffuriau, er mwyn iddo fe'i wario wedi iddo ddod o'r carchar. Ond bu farw cyn iddo gael ei ryddhau ac roedd stori bod yr arian dal yn yr ardal.'

'Wel, ddarganfyddoch chi mo hwnnw, ond ddarganfyddoch chi rywbeth llawer gwell!' meddai Tanwen. 'Ac mae llygaid y byd 'nôl ar Dregaron am resymau da iawn. Dywedwch wrthon ni faint yw gwerth y jwg a'r arian?'

'Chwe deg chwech mil o bunnoedd!' meddai Lefi, Meg a Sbaner fel un.

Yn ei chell yng ngharchar menywod Pucklechurch, hyrddiodd Keira ei mwg coffi at y sgrin. Fflamiodd tymer Tal hefyd wrth iddo wylio'r rhaglen yng ngharchar dynion Abertawe a gwasgodd ei sigarét yn slwj i'r blwch llwch. Wedi iddyn nhw eu harestio, roedd Heddlu Dyfed Powys wedi darganfod bod heddlu Swydd Gaer yn chwilio am y ddau ers misoedd yn dilyn y lladrad yn y siop gyfrifiaduron yng Nghaer, yn ogystal â llu o droseddau eraill, ac fe'u taflwyd yn bendramwnagl i'r carchar. Ac roedd y ddau'n cael eu hysu gan genfigen wrth iddyn nhw wylio Tanwen Ebenezer yn dirwyn y cyfweliad i ben.

'Dwi ar ddeall eich bod chi'n bwriadu gwerthu'r jwg a'r arian ond fyddwch chi ddim yn cael yr holl elw, fyddwch chi?' gofynnodd Tanwen wrth Meg.

'Na. Mae ei hanner e'n mynd i'r ffermwr sydd berchen Caer Rhun, gan mai ar ei dir e y darganfyddon ni'r jwg.'

'Ond mae hynny'n gadael tri deg tri mil o bunnoedd yn weddill, on'd dyw e?'

'Ydy! A ry'n ni'n mynd i gael un mil ar ddeg yr un!' dywedodd Lefi.

'Beth y'ch chi'n mynd i wneud â chyment â hynna o arian?' gofynnodd Tanwen.

'Joio!' llefodd Sbaner, Lefi a Meg fel un.

Roedd Denzil a Val Daniels, Morfudd Mathews, ac Ifan a Tomi Tecila yn aros am y gang y tu fas i'r stiwdio a chymeradwyodd y pump pan ddaeth y ffrindiau o'r adeilad. Roedden nhw wedi bod yn gwylio'r cyfweliad ar fonitor ac roedden nhw'n credu bod y plant wedi siarad yn grêt. Ar y dechrau, doedd yr un o'r rhieni wedi bod yn bles pan glywson nhw fod Lefi, Meg a Sbaner wedi mynd i'r afael â Keira a Tal. Roedden nhw'n gofidio'n fawr am beth *allai* fod wedi digwydd, ac roedd Morfudd Mathews wedi gwahardd Sbaner rhag defnyddio ei iPad a'i ffôn, ac wedi rhoi llond pen iddo am sleifio o'r tŷ a mynd i Gelli Aur gyda Lefi a Meg. Ond heno roedd pawb mewn hwyliau da ac roedd Tomi Tecila wedi trefnu pryd o fwyd iddyn nhw mewn gwesty bach Eidalaidd eg o'r enw Cesar's ym Marina Abertawe, er mwyn iddyn ddathlu gyda'i gilydd.

Roedd Lefi, Meg a Sbaner yn mynnu talu am y bwyd, gan y bydden nhw'n gyfoethog iawn cyn hir, ond rhybuddiodd Tomi Tecila nhw am beryglon gwastraffu eu harian.

'Wnaiff e ddim para am byth cofiwch,' meddai.

'Na, ond dwi'n bwriadu hala eitha tipyn ohono fe, Tad-cu!' dywedodd Sbaner.

'Ar beth?' gofynnodd Ifan.

'Hmm, beic cwad falle?'

'Beth?' Tagodd Morfudd Mathews ar ei thagliatelle. 'Ti rhy ifanc i gael un o'r rheini!' Ond yna gwelodd mai tynnu coes roedd Sbaner. 'O, doniol iawn,' meddai gan wenu.

Gwenodd Val Daniels hefyd wrth edrych trwy ffenest y bwyty ar y marina. Ochneidiodd wrth weld llu o gychod bach gwynion yn siglo yn y dŵr. 'Mae hi mor bert 'ma. Trueni na allwn ni dreulio noson yn y gwesty, yndê?' dywedodd yn feddylgar.

'Ti'n gwybod bod hynny'n amhosibl,' meddai Denzil. 'Bydd rhaid i ni fynd gatre achos alla i byth â cholli diwrnod arall o'r gwaith! Mae'r arddangosfa wedi bod fel ffair ers i'r jwg gael ei darganfod.'

'Ody fe?' holodd Morfudd Mathews.

'Mae pobl yn heidio o bobman i gael yr hanes!' Roedd Denzil Daniels wrth ei fodd. 'A falle dylen i dynnu llun ohonoch chi'ch tri a'i roi ar y wal, blantos?' cynigiodd. 'Falle gallech chi ysgrifennu rhyw bwt sut daethoch chi o hyd i'r jwg, a'i osod ar ei bwys?'

'Waw,' meddai Meg. 'Fyddwn *ni'n* rhan o hanes Tregaron wedyn!'

'Ro'n i'n meddwl bod hanes yn *boooring*,' heriodd Val Daniels hi.

'Pwy ddywedodd hynna?' wfftiodd Meg.

'Ti!' meddai Val Daniels a chwarddodd pawb wrth i Tomi Tecila stwffio sbageti i'w geg a holi beth oedd cynlluniau'r gang ar gyfer fory.

'Dwn i ddim,' meddai Lefi. 'Falle ewn ni 'nôl i Gelli Aur, gan fod Keira a Tal wedi mynd?'

'Ie, pam lai!' dywedodd Sbaner yn gyffrous. 'Allwn ni wneud fel y mynnon ni nawr!'

'Yn gwmws!' cytunodd Meg.

Roedd un peth yn sicr – roedd yr haf gwaethaf erioed bellach wedi troi i fod yr haf gorau erioed i Gang Gelli Aur.